QUI ÊTES-VOUS ?

Votre fiche, s'il vous plaît.

1 QUI ÊTES-VOUS ?

masculin :
quel nom/âge/numéro ?

féminin :
quelle adresse/profession ?

votre + masc. ou fém.

→ Parlez de vous.

1. Quel est votre nom? – Je m'appelle ....
2. Quelle est votre nationalité? – Je suis ....
3. Quel est votre âge? – J'ai ....
4. Quelle est votre profession? – Je suis ....
5. Vous êtes marié(e) ou célibataire? – ....
6. Quelle est votre adresse?

– J'habite .... (numéro), rue ....

à .... (ville).

2 QUI SONT-ILS ?

son + nom masc.
sa + nom fém.

→ Parlez d'elle et parlez de lui.

Sandra Lévine

Olivier Bourgat

....
....
....
....
....
....

3 CHASSEZ L'INTRUS.

italien – ~~nom~~ – grec – polonais

1. argentin – italien – marié – espagnol
2. dentiste – secrétaire – célibataire – étudiant
3. suis – est – ai – es
4. avenue – âge – rue – ville

4 AU SECRÉTARIAT. VOUS VOUS APPELEZ COMMENT ?

→ Écrivez les réponses sous les questions.

– Oui, et j'habite à l'hôtel.

– Je suis étudiante.

– Coralie Dumont.

– Non, je suis belge.

– Non, je suis célibataire.

vous : 1 personne (politesse)
2 ou plus

oui ≠ non

étudiant (m) / étudiante (f)

1. – Bonjour, vous vous appelez comment?
   – ....
2. – Vous êtes française?
   – ....
3. – Quelle est votre profession?
   – ....
4. – Vous êtes mariée?
   – ....
5. – Vous habitez à Paris?
   – ....

5 METTEZ ENSEMBLE QUESTIONS ET RÉPONSES.

1. – Bonjour, ça va?
2. – Tu es italienne?
3. – Et toi, tu es portugais?
4. – Comment tu t'appelles?
5. – Tu es marié?
6. – Qui est italien?
7. – Et tu t'appelles comment?

a. – Mario.
b. – Non, je suis célibataire.
c. – Non, je suis tunisienne.
d. – Non, je suis espagnol.
e. – Moi.
f. – Oui, ça va.
g. – Je m'appelle Juan.

6 LA SECRÉTAIRE POSE DES QUESTIONS.

2 personnes ne se connaissent pas : **vous**

→ Utilisez le pronom *vous* dans les questions.

1. – Bonjour, ... ?
   – Franz Krammer.
2. – .... ?
   – Je suis allemand.
3. – .... ?
   – Non, je suis célibataire.
4. – .... ?
   – Journaliste.
5. – .... ?
   – À Munich.
6. – .... ?
   – À Paris, j'habite à l'hôtel.
7. – .... ?
   – Je n'ai pas le téléphone.

7 DIALOGUE ENTRE JEUNES.

Entre jeunes : **tu**

→ Complétez.

1. – Tu t'appelles comment ?
   – Je m'appelle Gisela.
2. – .... ?
   – Non, je suis autrichienne.
3. – Et ton ami, ... ?
   – Lui, c'est Karl.
4. – .... ?
   – Moi, je suis étudiante. Karl, lui, est dentiste.

8 QUEL EST LE BON ARTICLE ?

masc. sing. : **le, l'**
fém. sing. : **la, l'**
masc./ fém. plur. : **les**

→ Complétez avec *le, la* ou *l'*.

1. C'est dans .... avenue Foch.
2. .... ville de Paris.
3. C'est .... adresse de mon amie.
4. C'est .... prénom du professeur.
5. Écoutez .... conversation.
6. Voilà .... amie de Corinne.
7. C'est .... secrétaire du club.
8. C'est .... père de Laurent.

9 C'EST QUI ?

C'est + nom
Il est + adjectif

→ Faites des phrases.

Philippe / professeur / français / marié.
→ C'est Philippe. Il est professeur. Il est français. Il est marié.

1. John / anglais / étudiant / un ami ......
2. Liu Tié / 24 ans / étudiante / mariée / chinoise ......
3. Luis / argentin / journaliste / célibataire ......

10 AH, CE N'EST PAS VOUS !

→ Répondez négativement.

1. Vous êtes italienne ? – Non, ...
2. Il s'appelle Luis ? – Non, ...
3. Elle est photographe ? – Non, ...
4. Il travaille à Clermont-Ferrand ? – Non, ...
5. Vous parlez français ? – Non, nous ......
6. Vous habitez à l'hôtel ? – Non, je ......

11 C'EST FAUX.

→ Mettez à la forme négative.

Elle s'appelle Noémie, elle a vingt-cinq ans. Elle habite à Boulogne.
Son numéro de téléphone est le 46 21 70 40. Elle est mariée et elle est étudiante.

12 CE N'EST PAS LUI !

Pronoms toniques
moi
toi
lui / elle

→ Répondez négativement. Utilisez un pronom tonique.

C'est Jacques ? → – Non, ce n'est pas lui.

1. C'est Patricia ? – ......
2. C'est Paul ? – ......
3. C'est ton amie ? – ......
4. Vous êtes Estelle ? – ......

13 METTEZ *SON* OU *SA* DEVANT LE NOM.

son devant nom féminin avec voyelle :
son adresse

1. ...... rue
2. ...... ami
3. ...... amie
4. ...... numéro
5. ...... carte
6. ...... profession
7. ...... nationalité
8. ...... prénom
9. ...... âge
10. ...... adresse

C'est pour une inscription ?

1 QUELS MOTS DU DIALOGUE RESSEMBLENT À DES MOTS DE VOTRE LANGUE ?

Mots internationaux

hôtel (?), club (?), ...

....

....

2 IDENTITÉ.

masc. : **quel**
fém. : **quelle**

Adjectifs possessifs avec nom singulier
Singulier :
masc. : **mon, ton, son**
fém. : **ma, ta, sa**
Devant une voyelle :
mon, ton, son
Pluriel, masc. et fém. :
notre, votre, leur

→ Mario se présente. Complétez.

– Bonjour, quel est .... prénom?

– Mario. J'habite à Paris et .... téléphone est le 45 38 92 57.

– .... profession?

– Je suis ingénieur.

– Et .... amie?

– .... amie est étudiante et elle habite à Madrid, chez .... sœur.

– .... nationalité?

– Elle est espagnole et moi je suis italien.

Et vous? Quelle est .... adresse? Quelle est .... profession?

3 QUI ÊTES-VOUS ?

→ Complétez avec *quel* ou *quelle.*

1. .... est votre nom?

2. .... est votre nationalité?

3. .... est votre âge?

4. .... est votre adresse?

4 METTEZ ENSEMBLE LES DEUX PARTIES DES PHRASES ET FAITES UN DIALOGUE.

Les professions, les articles indéfinis

1. – Bonjour, ...

2. – Bonjour, ...

3. – Vous avez ....

4. – Oui. Pour ....

5. – Oui, ...

6. – Vous avez ....

7. – Oui, ...

8. – Merci, vous avez ....

a. une personne?

b. une chambre?

c. monsieur.

d. c'est ça.

e. madame.

f. voilà.

g. la chambre 17.

h. une pièce d'identité?

C'est un(e) + profession
Il est + profession
Elle est

5 QUELLE EST LEUR PROFESSION ?

C'est ....

Elle est ....

6 UN AGENT DE POLICE DEMANDE L'IDENTITÉ DE PATRICE LANGLOIS.

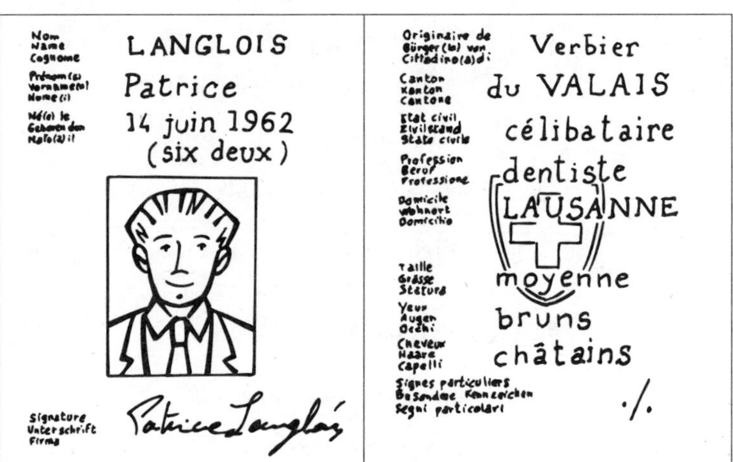

Nom / Name / Cognome: LANGLOIS
Prénom(s) / Vorname(n) / Nome(i): Patrice
Né(e) le / Geboren den / Nato(a) il: 14 juin 1962 (six deux)
Signature / Unterschrift / Firma: Patrice Langlois

Originaire de / Bürger(in) von / Cittadino(a) di: Verbier
Canton / Kanton / Cantone: du VALAIS
Etat civil / Zivilstand / Stato civile: célibataire
Profession / Beruf / Professione: dentiste
Domicile / Wohnort / Domicilio: LAUSANNE
Taille / Grösse / Statura: moyenne
Yeux / Augen / Occhi: bruns
Cheveux / Haare / Capelli: châtains
Signes particuliers / Besondere Kennzeichen / Segni particolari: ./.

1. – ....

– Patrice Langlois.

2. – ....

– Suisse.

3. – ....

– Dentiste.

4. – ....

– Non, à Lausanne.

5. – ....

– 33 ans.

– Bon, ça va, mais faites attention la prochaine fois !

7 ELLE HABITE À LONDRES.

→ Complétez la conversation avec des prépositions.

: verbe **avoir**
: préposition

répositions
, dans, de, d'

– Carole, c'est l'amie .... Nicolas?

– Oui, mais elle n'habite pas .... Paris. Elle habite .... Londres.

– Elle habite .... l'hôtel ou .... un appartement?

– .... l'hôtel.

– Ah bon! Elle n'habite pas .... l'appartement .... Karen?

– Non. Elle habite .... l'hôtel .... Angleterre.

8 METTEZ LES ACCENTS.

es accents
igu : **é**
rave : **à, è, ù**
irconflexe : **â, ê, î, ô, û**

1. Elle a une chambre dans un hotel a Paris.
2. Il a une piece d'identite.
3. Vous etes bien a l'hotel Beausejour?

9 COMMUNIQUEZ AVEC VOTRE VOISIN(E).

→ Demandez et donnez des renseignements.

A. Demandez les renseignements à votre voisin(e) pour remplir la fiche.

Nom :	Porte	Nom :	....
Prénom :	Anne	Prénom :	....
Âge :	24 ans	Âge :	....
Nationalité :	française	Nationalité :	....
Profession :	étudiante	Profession :	....
Adresse :	23, rue Valette, 75011 Paris	Adresse :	....

B. Demandez les renseignements à votre voisin(e) pour remplir la fiche.

Nom :	Romain	Nom :	....
Prénom :	Matthieu	Prénom :	....
Âge :	25 ans	Âge :	....
Nationalité :	belge	Nationalité :	....
Profession :	dentiste	Profession :	....
Adresse :	24, rue de la Liberté, Bruxelles	Adresse :	....

Communiquer par lettre

1 QU'EST-CE QUE C'EST ?

→ Écrivez le numéro des parties de la lettre dans les carrés.

☐ Touring Club de France
61, avenue de la Grande-Armée,
75016 Paris

Paris, le 20 novembre 1994 [2]

à Monsieur Bernard Bousquet ☐
15, rue de la Gaîté,
75014 Paris

☐ Monsieur,

☐ Le Touring Club de France vous propose de nouvelles activités de loisirs. Veuillez trouver ci-joint notre brochure pour l'année 1995.

Veuillez agréer, Monsieur, l'expression de nos respectueuses salutations. ☐

☐ La secrétaire générale,
L. Dijoux

1. L'adresse de l'auteur de la lettre
2. La ville et la date
3. L'adresse du destinataire
4. La formule d'introduction
5. Le texte de la lettre
6. La formule de politesse
7. La signature

2 ÉCRIVEZ LES NOMBRES EN CHIFFRES.

Les nombres de 1 à 69

Vingt-deux → 22

1. Dix-huit : ....
2. Vingt-six : ....
3. Trente et un : ....
4. Quarante-sept : ....
5. Cinquante-neuf : ....
6. Soixante et un : ....
7. Trente-quatre : ....
8. Quinze : ....

3 ÉCRIVEZ LES NOMBRES EN LETTRES.

51 → cinquante et un

1. 52 : ....
2. 62 : ....
3. 13 : ....
4. 19 : ....
5. 24 : ....
6. 38 : ....
7. 46 : ....
8. 60 : ....

DOSSIER 2

QUI SONT-ILS ?

Souvenirs de famille

on final de voyelle :
nom masculin

final, son final
de consonne :
nom féminin

1 QUEL EST LE GENRE DE CES NOMS ?

→ Écrivez l'article défini *le, la, l'* devant chaque nom.

Cousin, parent, fille, professeur, orphelin, famille, mari, femme, secret, commerçante, chien, infirmier, cousine, enfant.

masculin : *le cousin, le* .... féminin : *la fille, la* ....

....

....

....

....

'est + nom/pronom
e sont + nom/pronom
pluriel)

Accord du possessif
et du nom
e mari **de**... = **son** mari

2 VOILÀ LA FAMILLE LACAZE.

C'est **la** mère **de...**
= **sa** mère

Ce sont **les** parents **de**...
= **ses** parents

C'est **la** mère **des** enfants.
= **leur** mère

Ce sont **les** enfants
des Lacaze
= **leurs** enfants

*Daniel est le fils des Lacaze. → C'est **leur** fils. Ils ont un fils.*

1. Isabelle est la sœur de Sophie.

....

2. Madame Lacaze est la grand-mère des trois enfants.

....

3. Monsieur Lacaze a deux filles.

....

4. Sophie et Isabelle sont les sœurs de Daniel.

....

5. Yves est l'ami de Daniel.

....

6. Isabelle et David sont les amis de ton frère.

....

3 ILS SE PRÉSENTENT.

Situer des personnages
Prépositions de lieu

→ Isabelle présente sa famille.

À gauche, sur la photo, c'est ....

Devant, ...

Derrière ma grand-mère, ...

À côté de mon père, ...

Moi, ...

→ Madame Lacaze, la grand-mère, présente sa famille.

Voilà mon fils, il s'appelle ....

4 DEMANDEZ DES INFORMATIONS.

1. – .... ? – J'ai une sœur.
2. – .... ? – Elle a 31 ans.
3. – .... ? – Elle est médecin.
4. – .... ? – À Paris.
5. – .... ? – Oui, et son mari s'appelle Hans.
6. – .... ? – Il est Allemand.
7. – .... ? – Oui, ils ont deux enfants.

5 PRÉSENTEZ VOTRE FAMILLE.

Verbe **avoir**

J'ai
Tu **as**
Il/Elle/On **a**
Nous **avons**
Vous **avez**
Ils/Elles **ont**

→ Écrivez sur une feuille séparée.

Vous avez des frères et des sœurs?

Ils ont quel âge?/ Quelle est leur profession?/ Où est-ce que vos parents habitent?/ Quelle est la profession de votre père?/ Votre mère travaille?

6 QUELLE EST LEUR PROFESSION ?

Il est agriculteur. → C'est un agriculteur.

Ils sont agriculteurs. → Ce sont des agriculteurs.

être + profession
C'est un(e) + profession

2. ....
3. ....
4. ....
5. ....

7 METTEZ AU FÉMININ.

Genre des adjectifs
masc. → fém.

-er → **ère**
-en → **enne**
+ **e**

1. Son fils est anglais. Sa fille ....
2. Leur père est autrichien. ....
3. Leur oncle est hollandais. ....
4. Ton cousin est suédois. ....
5. Son mari est allemand. ....
6. Mon frère est infirmier. ....
7. Son grand-père n'est pas jeune. ....

8 OÙ EST-CE QU'ILS HABITENT ?

à + nom de ville

en + nom de pays fém.
+ nom de pays masc. commençant par une voyelle

au + nom de pays masc.

aux + nom de pays plur.

Juana / Madrid / Espagne → Juana est espagnole. Elle habite en Espagne, à Madrid.

Franz
Bonn
Allemagne

Claudia
Milan
Italie

Jodie
Chicago
États-Unis

1. ....
....

2. ....
....

3. ....
....

Costa	Vera	Joseph
São Paulo	Lisbonne	Tel-Aviv
Brésil	Portugal	Israël

4. .... 5. .... 6. ....

....

9 QUELLE LANGUE EST-CE QU'ILS PARLENT ?

→ Complétez les phrases suivant l'exemple.

Farid habite en Égypte. Il parle arabe.

Présent des verbes en **-er**

J'habite
Tu habit**es**
Il / Elle / on habit**e**
Nous habit**ons**
Vous habit**ez**
Ils / Elles habit**ent**

1. Dora et son frère habitent en Espagne.

....

2. Vous habitez en Allemagne.

....

3. Elles habitent au Portugal.

....

4. Nous habitons en Grèce.

....

5. Ils habitent aux États-Unis.

....

10 QUI SONT-ILS ?

→ Complétez avec des formes de *être* et de a*voir*.

Les Smith .... américains. Ils .... deux enfants. Leurs enfants .... en France. Ils .... des amis français. Leur fille .... mariée, leur fils .... une amie. Ils .... étudiants tous les deux. Ils .... heureux, ils .... un appartement à Paris et ils .... étudiants.

avoir des...
ne pas avoir de...

les prépositions
au
à
en
aux

11 NOTRE FAMILLE ET NOS AMIS SONT TOUS EN FRANCE !

→ Complétez les questions et les réponses.

1. – Vos parents ont des cousins .... Canada ?
   – Non, ils .... ont .... cousins là-bas.
2. – Vous avez une sœur .... Athènes ?
   – Non, je .... ai .... sœur .... Grèce.

3. – Votre mère a un oncle .... Hollande?

– Non, elle .... a .... oncle .... Pays-Bas.

4. – Votre sœur et vous avez des amis .... Bruxelles?

– Non, nous .... avons .... amis .... Belgique.

12 CHOISISSEZ UNE PROFESSION.

genre des noms : masc. ou fém.

→ Classez ces noms de professions en 6 catégories selon la marque du féminin.

comptable	représentant(e)	épicier(ère)	électricien(ne)
informaticien(ne)	coiffeur(euse)	dentiste	acteur(rice)
commerçant(e)	directeur(rice)	vendeur(euse)	secrétaire
pâtissier(ère)	ouvrier(ère)	pharmacien(ne)	danseur(euse)
opticien(ne)	instituteur(rice)	infirmier(ère)	journaliste
chanteur(euse)	éditeur(rice)	employé(e) de bureau	

Une seule forme : pas de marque de genre

Deux formes : masculin et féminin

1. Pas de marque

un (ou une) comptable

....

....

....

2. -en → **enne**

....

....

....

3. -eur → **euse**

....

....

....

4. + e

un employé/ une employée

....

....

....

5. -eur → **rice**

....

....

....

6. -er → **ère**

....

....

....

13 QUI SONT-ILS ?

Accords
sujet/verbe
sujet/adjectif

Verbe être
Je **suis**
Tu **es**
Il / Elle / On **est**
Nous **sommes**
Vous **êtes**
Ils / Elles **sont**

Parler d'autres personnes

→ Complétez les phrases avec des formes du verbe *être*.

Elles sont tunisiennes.

1. Sonia .... français .... (1 femme)
2. Nous, nous .... italien...... . (2 hommes)
3. Il .... étudiant .... (1 homme)
4. Elles .... marié .... (2 femmes)
5. Vous .... étudiant .... (1 femme)
6. Vous .... étudiant .... (2 femmes)
7. Elle .... célibataire .... (1 femme)
8. Ils .... belge .... (2 hommes)

14 PARLEZ DES AUTRES ÉTUDIANTS.

Kurt est dans mon cours de français. Il est .... Il parle .... Il habite .... Ses parents .... Il a ....

Viens chez moi.

1 CHASSEZ L'INTRUS.

vélo – cyclotourisme – ~~bois~~ – roue

1. travailler – avoir une profession – faire du vélo – être employé(e)
2. comptable – débutant – ingénieur – commerçant
3. enchanté – très heureux – salut – merci
4. appartement – club – chambre d'hôtel – maison

2 COMPLÉTEZ AVEC DES MOTS DE LA BANDE DESSINÉE.

Qu'est-ce que vous faites ? – Je suis ingénieur.

1. Vous .... à Paris ? – Non, je n'ai pas encore de travail.
2. Vous .... où ? – .... au 56, boulevard de l'Hôpital.
3. Vous .... une voiture ? – Oui, ... une voiture.
4. Vous .... souvent au Club ? – Oui, je .... souvent.

3 CHRISTIAN POSE DES QUESTIONS.

1. Réécrivez les questions d'une autre manière.
2. Répondez pour Thierry.

Tu fais quoi ? → – Qu'est-ce que tu fais ? → – Je suis comptable.

est-ce que... ?
qu'est-ce que... ?
où est-ce que... ?
d'où est-ce que... ?

1. Tu viens d'où ? ....

....

2. Tu as un appartement ? ....

....

3. Tu habites où ? ....

....

4. Tu fais quel sport ? ....

....

5. Tu es un champion ? ....

....

4 ILS VIENNENT DE QUEL PAYS ET DE QUELLE VILLE ?

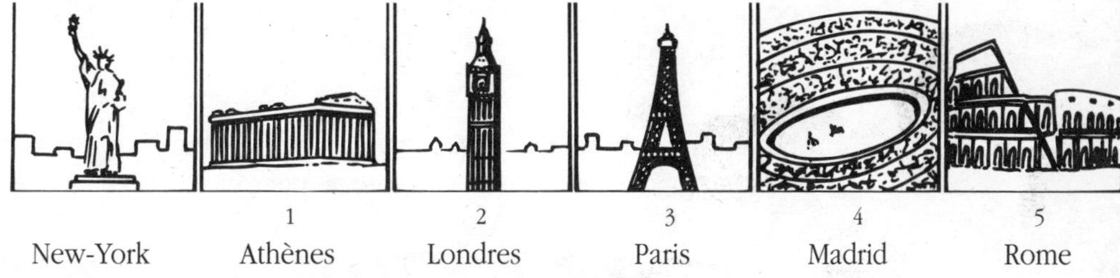

	1	2	3	4	5
New-York	Athènes	Londres	Paris	Madrid	Rome

Tu viens des États-Unis, de New York.

Le verbe **venir** au présent.

Je / Tu **viens**
Il / Elle / On **vient**
Nous **venons**
Vous **venez**
Ils / Elles **viennent**

1. Elles ....
2. Vous ....
3. Il ....
4. Nous ....
5. Ils ....

5 QU'EST-CE QU'ILS FONT ?

→ Mettez les verbes à la forme convenable.

1. travailler/ Les parents de Jacques .... à Amsterdam.
2. travailler – faire/ Christian Delcour .... à Paris. Il .... du vélo.
3. arriver/ Christian et Thierry .... chez les Delcour.
4. venir/ Les étudiants .... de l'étranger.
5. habiter/ Tu .... à l'hôtel ? – Non, j'.............. dans un appartement.

6 *OÙ* ET *D'OÙ* ?

→ Complétez avec *au, à, en, de, d', du, des.*

1. Nous habitons .... Espagne, ... Séville.
2. Ils viennent .... Amsterdam, ... Pays-Bas.
3. Elle travaille .... Salonique, ... Grèce.
4. Il vient .... Alger, ... Algérie.
5. Les jeunes font du foot .... Portugal et .... Brésil.
6. Les jeunes font .... vélo .... France et .... Belgique.

Présentez votre vedette préférée.

1 LISEZ CES DEUX TEXTES.

À 61 ans, Jean-Paul Belmondo est une vedette très populaire du cinéma et du théâtre. Il aime beaucoup le sport. Son ambition est de rester une grande vedette. Les jeunes aiment beaucoup ses films d'action.

Marie-José Pérec est une sportive très connue. C'est la championne du monde (1991) et la championne olympique (1992) du 400 mètres. Aujourd'hui, elle a encore de grandes ambitions. C'est un modèle de courage et d'énergie pour beaucoup de jeunes Françaises.

1. Quels mots ressemblent à des mots de votre langue? Soulignez-les.
2. Quels mots est-ce que vous connaissez? Entourez-les.

2 ÉCRIVEZ UNE LÉGENDE SOUS LA PHOTOGRAPHIE.

A. Vous lisez la fiche d'identité du personnage et vous répondez aux questions de B.

Nom : *Paradis*

Prénom : *Vanessa*

Date de naissance : *22 décembre 1972*

État civil : *célibataire*

Profession : *chanteuse et actrice*

Son premier disque : *à 15 ans*

Son premier film : *à 17 ans*

Son ambition : *faire une longue carrière*

B. Vous posez des questions à A pour identifier le personnage. Puis vous écrivez une légende sous la photo.

DOSSIER 3

OÙ EST-CE ?

Un bureau fou, fou, fou...

c'est un(e) ...
ce sont des ...

1 QUELS SONT CES MEUBLES ?

....

....

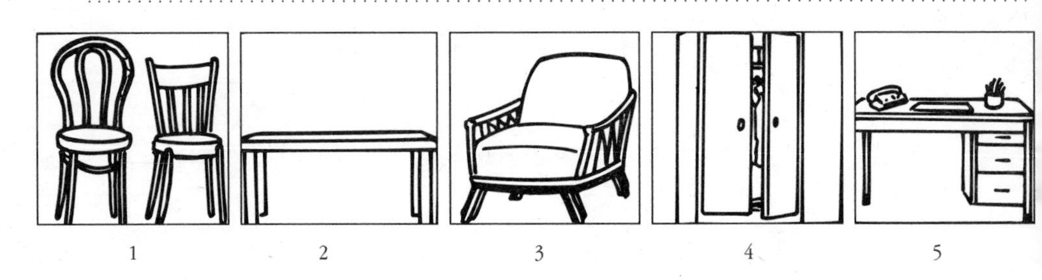

1 2 3 4 5

2 MASCULIN OU FÉMININ ?

Reconnaissance du genre des noms

→ 1. Utilisez *un* (masculin) ou *une* (féminin) devant chacun des mots suivants :

ordinateur – étagère – chaise – bureau – mur – affiche – lampe – dossier – téléphone – fenêtre

masculin	féminin
....	....
....	....
....	....
....	....
....	....

Exceptions :
un téléphone
un livre
un meuble

→ 2. Comment se terminent les mots féminins à l'écrit ?

....

Quel son final est-ce qu'on entend, une voyelle ou une consonne ?

....

→ 3. Les mots *dossier, bureau, commerçant, informaticien* se terminent, à l'oral :

par un son de .... Ils sont ....

Les mots *mur, ordinateur, acteur, directeur* se terminent par la lettre « r » :

Ils sont ....

3 QU'EST-CE QU'IL Y A DANS CETTE PIÈCE ?

Il y a

Il y a ....

....

4 MAIS SI !

Réponse affirmative : **si** à une question à la forme négative

→ Répondez affirmativement.

Il n'y a pas de table dans cette pièce ? → Si, deux. Il y a deux tables.

1. Il n'y a pas de fauteuil? ....
2. Elle n'a pas de voiture? ....
3. Il n'y a pas de lampe? ....
4. Il y a un tapis? ....
5. Vous n'avez pas de livre? ....

5 COMPAREZ CES DEUX PIÈCES.

Il y a
Il n'y a pas

Il y a ....

....

....

Il y a un téléphone dans la première pièce, mais il n'y a pas de lampe dans la deuxième.

6 VOUS ENTREZ DANS VOTRE CHAMBRE.

→ Décrivez la pièce de gauche à droite.

....

....

....

7 OÙ PLACER LES MEUBLES ?

Préposition + nom :
au milieu de...
à gauche de...

Adverbes :
ici – là
au milieu
à gauche
à côté

→ Regardez le dessin de la pièce et donnez vos instructions aux livreurs. Utilisez les verbes *prendre, mettre, placer, poser.*

– Mettez cette table au milieu de la pièce ....

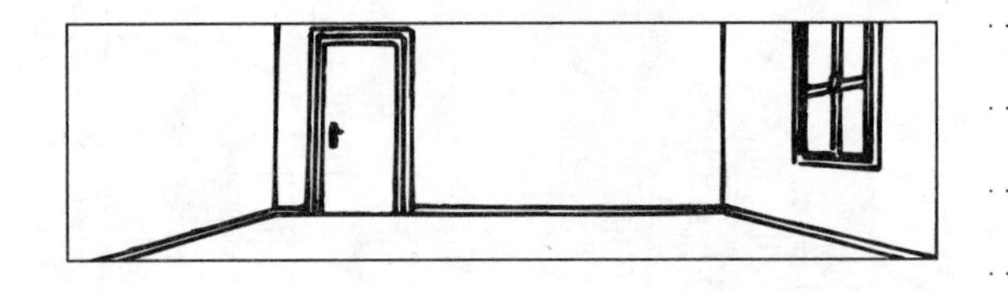

....
....
....
....
....
....
....
....
....
....

Montez par l'escalier.

1 MASCULIN OU FÉMININ.

Adjectifs démonstratifs :
ce camion
cet immeuble
cette maison
cette erreur

→ Mettez *ce, cet* ou *cette* devant ces mots pour marquer le genre.

1. .... porte
2. .... zoo
3. .... canapé
4. .... salon
5. .... animal
6. .... ascenseur
7. .... livreur
8. .... lit
9. .... chat
10. .... escalier
11. .... milieu
12. .... trottoir.

2 À QUI SONT-ILS ?

à moi, à toi,
à lui, à elle,
à nous, à vous
à eux, à elles

À qui est cette voiture ? (Maryse et Christian) → Elle est à eux.

1. À qui sont ces lunettes ? (Thierry) ....
2. À qui est cette armoire ? (la concierge) ....
3. À qui sont ces chats ? (locataires) ....
4. À qui sont ces meubles ? (pas à Thierry) ....
5. À qui est cette voiture ? (ton frère et toi) ....
6. À qui sont ces vélos ? (pas aux filles) ....

3 ILS LIVRENT LES MEUBLES.

Genre des noms
Article défini ou indéfini

→ Mettez un article défini ou indéfini devant chaque mot.

C'est un immeuble de six étages. C'est l'immeuble de Thierry.

1. C'est .... 5e étage. C'est .... étage de son appartement.

2. Prenez .... escalier, pas .... ascenseur.

3. Placez .... meuble contre .... mur.

4. Il y a .... ordinateur sur .... lit ! C'est .... erreur.

5. Il faut .... lampe sur .... bureau.

4 METTEZ ENSEMBLE LA PHRASE ET SA FONCTION.

Actes de parole

1. Demande de renseignement
2. Demande de confirmation
3. Accord
4. Justification
5. Demande d'opinion
6. Refus

a. Qu'est-ce que vous en pensez ?
b. Ah non ! Pas d'animaux ici.
c. Mais, madame, on travaille, nous !
d. C'est bien au premier ?
e. D'accord. Pas de problème.
f. C'est pour quoi ?

5 À QUI EST-CE DE FAIRE ÇA ?

C'est à + nom / pronom + **de** + **infinitif**

Donner des renseignements sur les locataires.
→ C'est à la concierge de donner des ....

1. Livrer les meubles.

....

2. Prendre les inscriptions au club.

....

3. Placer les meubles dans son appartement.

....

4. Demander la carte d'identité des gens.

....

5. Indiquer l'étage.

....

6 CONJUGAISON

Présent de l'indicatif

→ Complétez les phrases avec les verbes entre parenthèses.

1. Thierry (se présenter) .... à la concierge.

2. Vous (livrer) .... les meubles ? Vous (faire) .... du bruit !

3. Les livreurs (travailler) .... Ils ne (prendre) .... pas l'ascenseur.

4. Je (monter) .... chez moi, mais je ne (prendre) .... pas l'ascenseur.

7 DONNEZ DES ORDRES

prendre l'ascenseur → Prends / Prenez l'ascenseur.

1. monter les meubles ....
2. téléphoner à son ami ....
3. prendre sa voiture ....
4. travailler ....
5. faire un exercice ....
6. parler français ....

8 QU'EST-CE QU'ILS FONT ?

Verbe **prendre**
Je / Tu **prends**
Il / Elle / On **prend**
Nous **pren**ons
Vous **pren**ez
Ils / Elles **prenn**ent

....

....

....

9 QUEL EST VOTRE PROJET ?

A. Vous êtes décorateur / décoratrice d'appartements. Après une visite chez une cliente, vous faites un projet pour décorer son salon.

Vous expliquez votre projet à votre client(e) au téléphone.

B. Un décorateur / une décoratrice décore votre salon.

Vous téléphonez. Vous posez des questions. Comment est son projet ? Où sont les meubles ?

Nos petites annonces

1 COMPLÉTEZ LES PHRASES CI-DESSOUS ET REMPLISSEZ LA GRILLE.

					1		A							
						2	P							
			3				P							
				4			A							
				5			R							
						6	T							
					7		E							
					8		M							
9							E							
	10						N							
		11					T							

1. Nous habitons dans une ....
2. Pour entrer ou pour sortir, il y a une ....
3. Sur le bureau, il y a une ....
4. Il y a cinq .... dans l'immeuble.
5. Je travaille dans mon ....
6. À l'extérieur, devant les fenêtres, il y a une ....
7. On lit, on parle dans le ....
8. Il y a plusieurs appartements dans un ....
9. On dort dans la ....
10. Il y a un .... à côté de la maison.
11. Il y a trois .... dans le séjour.

2 ÉCRIVEZ L'ANNONCE.

Monsieur Dulac a un appartement à louer.
Son appartement est au 4e étage avec ascenseur dans un immeuble moderne. Il a une grande terrasse de 25 m^2. Il possède un grand séjour de 35 m^2, une cuisine équipée. Il y a trois chambres avec deux grandes salles de bains très modernes avec baignoire et douche. Au sous-sol, il y a un parking pour deux voitures.

....

....

3 ÉCRIVEZ LES LETTRES.

1. Les Barbieu ont deux grands enfants de 15 et 18 ans. Monsieur Barbieu est dentiste et madame Barbieu fait des relations publiques pour une maison d'édition. Ils cherchent un grand appartement à un étage élevé avec trois chambres et un bureau. Ils ont besoin d'une installation moderne dans un immeuble de standing avec ascenseur.

→ Écrivez la lettre de monsieur Barbieu à une agence immobilière.

2. Vous avez l'appartement ci-dessous à louer meublé. Vous mettez une annonce :
Appartement 3 pièces, entrée, séjour 30 m^2, 2 chambres, salles de bain, 3e étage avec ascenseur, terrasse, parking, calme. À louer 5 000 F par mois.

Quelqu'un vous demande des renseignements. Vous répondez et vous décrivez votre appartement.

DOSSIER 4

OÙ VONT-ILS ?

Est-ce qu'il y a une poste près d'ici ?

1 OÙ EST-CE ?

c'est **ici** sur le plan.
c'est **près d'ici**.
c'est **loin**.
c'est **là-bas** / **à gauche** / **à droite.**

Vous êtes à la gare. On vous demande où est le parking.

→ Regardez le plan et situez le bâtiment.

Le parking ? – Prenez la rue de la Liberté, à gauche. Le parking est dans la rue du Parc, en face du parc. C'est près d'ici.

1. Le marché ....

2. Le musée ....

3. Le cinéma ....

4. La banque ....

5. La poste ....

2 MASCULIN OU FÉMININ ?

Reconnaissance du genre des noms

→ Classez les mots suivants en deux catégories : parc – arrêt – marché – banque – parking – mairie – gare – cabine – hôtel – liberté – rue – hôpital – magasin – boulangerie – voiture.

masculin : **un / le / ce** cinéma
cet homme

féminin : **une / la / cette** poste

3 OÙ ALLEZ-VOUS ?

Verbe **aller**
Je **vais**
Tu **vas**
Il / Elle / On **va**
Nous **allons**
Vous **allez**
Ils / Elles **vont**

Mes parents / mairie. → Mes parents vont à la mairie.

1. Ma mère / marché.

2. Mes amis / gare.

3. Nous / café.

4. Vous / restaurant.

5. Moi / musée.

4 DITES OÙ ON VA… ET POUR QUOI FAIRE.

Expression du but :
pour + infinitif

→ Complétez.

Pour téléphoner, on va dans une cabine téléphonique.

1. Pour mettre une lettre à la poste, ……

2. Pour prendre un bus, ……

3. Pour prendre un verre, ……

4. …… on va au supermarché.

5. …… on va à la gare.

6. …… on va au parking.

5 QUEL CHEMIN PRENDRE ?

en face de...
tout droit...
au coin de...
le long de...
au bout de...

→ Vous êtes dans la montée de la Bourgade et vous allez :

1. à la place Grimaldi : ....
2. à la chapelle de la Protection : ....
3. à la porte de Saint-Paul : ....
4. à la place du Château : ....

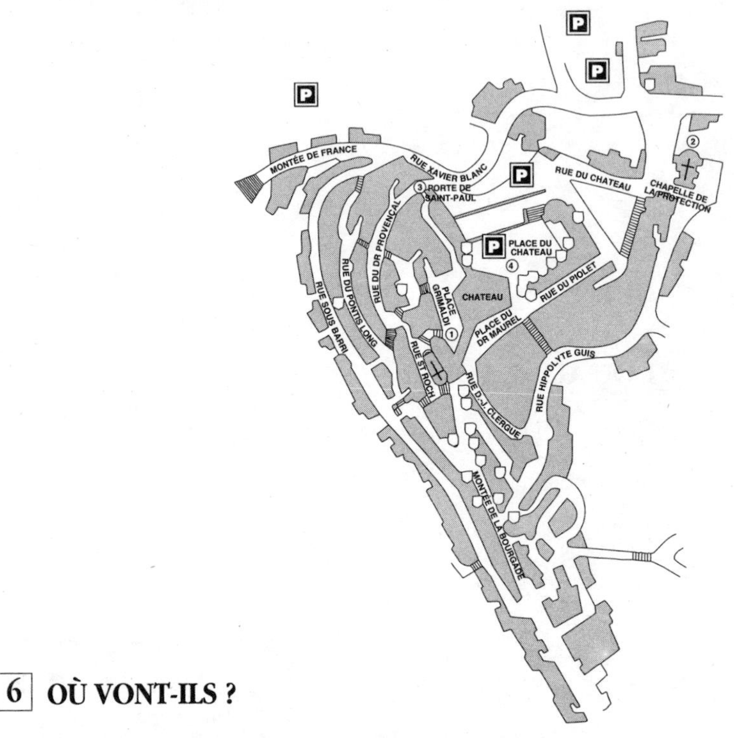

6 OÙ VONT-ILS ?

Impératif 2e personne :

pas de **-s** final
pour les verbes en **-er**

→ Indiquez le chemin avec l'impératif.

1. Tu prends la rue Centrale à droite, tu tournes à gauche dans la rue du Parc, tu traverses la rue de France. C'est à ta droite.

....

....

2. Vous prenez la rue du Parc à gauche et vous tournez à droite. Vous suivez la rue de France jusqu'à la gare. C'est à votre droite, en face de la gare.

....

....

7 DEMANDEZ VOTRE CHEMIN.

Où est... ?
Comment on va... ?
Vous connaissez... ?
Le ... s'il vous plaît, c'est loin ?
Il y a ... près d'ici ?
Je cherche...

→ Vous cherchez 6 lieux différents. Employez une forme nouvelle à chaque fois.

1. ....
2. ....
3. ....

4. ....

5. ....

6. ....

8 INDIQUEZ LE CHEMIN.

→ Inventez les réponses. Utilisez l'impératif.

1. Excusez-moi. Je cherche la gare routier

....

2. Le super marché Pumas Stores s'il vous plaît, c'est par là ?

....

3. Il y a un hôtel près d'ici ?

....

4. Vous connaissez une banque près d'ici ?

....

5. Comment est-ce qu'on va à la ~~mairie~~ piscine ?

....

9 QUEL EST LE GENRE DES MOTS SUIVANTS ?

Reconnaissance du genre des noms

→ Mettez un article devant chaque mot.

1. .... pont
2. .... conducteur
3. .... boulevard
4. .... place
5. .... quai
6. .... bus
7. .... plan
8. .... musée
9. .... mairie
10. .... coin

Trop tard !

1 REMPLISSEZ LA GRILLE AVEC DES MOTS DU TEXTE.

	1	☐	☐	☐	V	☐			
2	☐	☐	☐	☐	O				
	3	☐	☐	☐	I				
4	☐	☐	☐	☐	T				
				5	☐	U	☐	☐	☐
				6	R	☐	☐	☐	☐
		7	☐	☐	E	☐	☐	☐	

1. Certaines personnes ne travaillent plus. Elles font la ....
2. Le .... est un moyen de transport.
3. On attend le train sur un ....
4. L' .... donne des renseignements.
5. Les gens attendent. Ils font la ....
6. On écoute de la musique et des informations à la ....
7. On demande son .... à un agent.

2 CHASSEZ L'INTRUS.

Trouver l'intrus d'après :
le sens,
la catégorie grammaticale.

1. quai – métro – bus – taxi
2. monter – aller – voiture – descendre
3. voiture – train – grève – vélo
4. loin – près – à côté – tard

3 EST-CE QUE VOUS LE SAVEZ ?

→ Regardez la bande dessinée et répondez aux questions.

1. Vous savez pourquoi il n'y a pas de métro ?

....

2. Vous savez où va Émilie ?

....

3. Vous savez pourquoi l'automobiliste s'arrête ?

....

4. Vous savez comment Émilie rentre chez elle ?

....

5. Vous savez où sont ses parents ?

....

4 EST-CE QU'ILS PEUVENT LE FAIRE ?

→ Complétez avec des formes du verbe **pouvoir**.

1. – Tu peux téléphoner à Benjamin ?
   – Non, je ne peux pas, mais lui, il peut écrire.
2. – Vous pouvez monter ces meubles ?
   – Non, nous ne pouvons pas, mais les déménageurs ....

5 POURQUOI ? PARCE QUE...

Cause : **parce que**
Intention : **pour + infinitif**

→ Complétez les phrases suivantes.

1. Pourquoi est-ce que tu ne fais pas de vélo ? (ne pas aimer ça).
   parce que je n'aime pas ça.
2. Pourquoi est-ce que tu prends un taxi ? (ne pas arriver trop tard).
   parce que je n'arrive pas trop tard.
3. Pourquoi est-ce que tu prends ton baladeur ? (écouter de la musique).
   Pour écouter de la musique.

4. Pourquoi est-ce que tu demandes ton chemin ? (ne pas savoir où c'est).
....

5. Pourquoi est-ce que tu ne téléphones pas à tes parents ? (ne sont pas à la maison).
....

6. Pourquoi est-ce que tu arrêtes la voiture ? (regarder le plan de la ville).
....

6 RACONTEZ L'HISTOIRE.

Il va à la gare.

....
....
....
....

7 À PIED OU EN MÉTRO ?

prépositions : **à, en**

→ Complétez cette conversation par *en* ou *à*.

– Comment tu vas travailler, ... métro ?

– Non, ... bus ou ...... vélo. Et toi ?

– Quelquefois ...... voiture, sinon ...... train.

– Et ton fils, il va l'école ...... pied ?

– Non, son père l'accompagne ...... moto.

– De toutes façons, ... pied, ... cheval ou ...... voiture, je préfère rester à la maison !

8 COMPLÉTEZ LES FORMES DES VERBES, AU PRÉSENT.

Je prend.... souvent le métro. Je descend.... dans la station. Des gens f...... la queue pour prendre des tickets. Je met.... mon ticket dans l'appareil et je pass.... sur le quai. Des gens attend.... . Le métro arriv.... . Nous mont.... .

9 DANS LE TEXTE DE LA BANDE DESSINÉE, TROUVEZ CINQ MOTS AVEC UNE VOYELLE NASALE.

....

....

10 COMPLÉTEZ LES PHRASES.

Les voyelles nasales

1. Ce soir, on va m...... ger au restaurant de la rue C...... trale.

2. Je dem...... de m.... chem.... à l'ag...... t.

3. Le l...... di, il y a du m...... de dans les rues. Les g...... s v...... t travailler.

Au Québec

1 CORRESPONDANCES

Formation des mots

Noms en :
-ion : féminin
-age : masculin

→ Indiquez le genre du nom avec un article, et trouvez le verbe correspondant.

la vue → *voir*

1. ...... admiration → ....

2. ...... montée → ....

3. ...... découverte → ....

4. ...... descente → ....

5. ...... exposition → ....

6. ...... passage → ....

7. ...... habitation → ....

8. ...... oubli → ....

2 FAITES L'ACCORD.

avant le nom :
beau
joli
vieux
grand
petit
long

→ Placez l'adjectif avant ou après le nom et selon le cas accordez-le.

ville / ancien → une ville ancienne

1. terrasse / grand : ....

2. vue / beau : ....

3. promenade / long : ....

4. rues / étroit : ....

5. maisons / petit : ....

6. place / joli : ....

7. quartiers / animé : ....

8. monuments / imposant : ....

3 AMITIÉS DU QUÉBEC

Ville de Québec, Château de Frontenac.

Vous êtes en vacances dans la ville de Québec. Vous écrivez une carte postale à un ami. Vous parlez du Québec, de la ville, de la place Royale...

....

....

....

....

....

....

DOSSIER 5

QUE VOULEZ-VOUS ?

Qu'est-ce qu'on peut faire ?

1 QUELLES SONT CES INTERDICTIONS ?

Il est interdit de…
Il est défendu de…

Interdiction de…
Défense de…
On ne peut pas…

1. ....
2 ....
3. ....
4. ....
5. ....
6. ....

2 DITES-LE AUTREMENT.

Actes de parole

→ Trouvez deux autres façons d'interdire.

1. Ne marchez pas sur l'herbe. ....
2. Ne faites pas de bruit. ....
3. Sens interdit. ....
4. Passage interdit. ....

3 QU'EST-CE QU'ILS DISENT ?

....

....

....

4 QU'EST-CE QU'IL FAUT FAIRE OU NE PAS FAIRE ?

Ne vous garez pas devant la porte. Il faut vous garer au parking.

1. Ne prenez pas l'ascenseur. ....

2. Ne promenez pas votre chien dans le jardin. ....

3. Vous ne pouvez pas traverser ici. ....

4. Cette rue est en sens interdit. ....

5. Il y a un hôpital près d'ici. ....

5 UNE VIE DE CHIEN !

Verbe **pouvoir**

Je **peux**
Tu **peux**
Il / Elle / On **peut**
Nous **pouvons**
Vous pouvez
Ils / Elles **peuvent**

Permission ou possibilité

→ Complétez le texte avec des formes du verbe **pouvoir** et mettez (Pe) si c'est une permission, (Po) si c'est une possibilité.

Vous ne *pouvez (Po)* pas savoir ! On ne .... ( ) rien faire dans cette ville. Par exemple, les parcs sont interdits aux chiens, ils ne .... pas ( ) jouer sur les pelouses ! Nous ne .... pas ( ) marcher dans la rue sans laisse. Moi, je ne .... pas ( ) marcher en laisse. Ce n'est pas de ma faute, je ne suis pas un chien ordinaire. Vous .... ( ) comprendre ça ? Qu'est-ce qu'on .... ( ) faire, dites-moi ?

6 QU'EST-CE QU'ILS VEULENT FAIRE ?

Verbe **vouloir**

Je **veux**
Tu **veux**
Il / Elle / On **veut**
Nous voulons
Vous voulez
Ils / Elles **veulent**

vouloir + nom
vouloir + infinitif

→ Complétez et inventez chaque fois une phrase. Utilisez le verbe **vouloir**.

Leurs amis : ils veulent attendre leurs amis.

1. Le chemin : elle ....

2. Les robes : elles ....

3. Ce taxi : ils ....

4. Ce magazine : tu ? ....

5. Ce musée : nous ....

6. Sa voiture : vous ? ....

7 EXPRIMEZ UN DÉSIR ET DONNEZ LA PERMISSION.

Nous / sortir. → Nous voulons sortir. – Oui, vous pouvez.

1. Elles / aller en ville.

....

2. Moi / stationner ici.

....

3. Nous / aller au café.

....

4. Eux / aller au cinéma.

....

5. Moi / faire du vélo.

....

8 DONNEZ VOTRE ACCORD.

Pronoms COD : **le, la, l', les** avant le verbe

Mettez ces meubles là. – D'accord, je les mets là.

1. Attendons nos amis. ....
2. Regardez ces dossiers. ....
3. Montrez vos papiers. ....
4. Appelez votre frère. ....
5. Lisez cette lettre. ....
6. Prenons ce taxi. ....
7. Demandons notre chemin. ....
8. Écoutez cette émission. ....

9 DITES *SI*.

Pronoms COD avant l'infinitif

Tu vois, on ne peut pas garer sa voiture ici. – Mais si, on peut la garer !

1. Vous voyez, on ne peut pas écouter la radio.

....

2. Dites, on ne peut pas visiter ce musée ?

....

3. Tu vois, on ne peut pas prendre le bus.

....

4. Regarde, on ne peut pas doubler les voitures.

....

5. Dis, on ne peut pas prendre cette rue ?

....

10 CLASSEZ CES NOMS SELON LEUR GENRE.

Reconnaissance du genre des noms

dépense – bruit – interdiction – sens – heure – herbe – conducteur – tour – toilettes – passage – papier

	masculin	féminin
1.	....	....
2.	....	....
3.	....	....

4. ....

5. ....

6. ....

11 TROUVEZ DES MOTS DE SENS CONTRAIRE.

bruit ≠ silence

1. interdiction ≠ ....
2. descendre ≠ ....
3. aller ≠ ....
4. loin ≠ ....
5. entrer ≠ ....

Elle peut avoir l'air sérieux !

1 TROUVEZ 7 NOMS DE VÊTEMENTS OU D'ACCESSOIRES.

C	H	E	J	U	P	E	A	I	X
J	L	E	S	H	O	R	T	W	S
A	J	E	A	N	C	O	R	I	E
C	H	A	U	S	S	U	R	E	S
L	A	U	R	O	B	E	L	H	T
B	O	T	T	E	S	U	R	I	E
T	U	R	B	L	O	U	S	O	N

2 ORDRES ET CONSEILS.

Pronoms COD :

– avec l'impératif affirmatif : après le verbe avec un trait d'union

– avec l'impératif négatif : avant le verbe

→ Utilisez l'impératif avec les pronoms COD.

Nous montrons notre carte d'identité ?

– Oui, montrez-la.

– Non, ne la montrez pas.

1. Nous écrivons notre adresse ? – Oui, ...
2. J'achète le journal ? – Non, ...
3. Je prends mes clés ? – Oui, ...
4. Nous regardons la télévision ? – Oui, ...
5. Je lis cette lettre ? – Non, ...

3 QU'EST-CE QU'IL FAUT FAIRE OU NE PAS FAIRE POUR TROUVER DU TRAVAIL ?

impératif

Il faut...
Il ne faut pas...

→ Donnez cinq conseils.

1. ....

2. ....

3. ....

4. ....

5. ....

4 DÉCRIVEZ CE QU'ILS PORTENT.

→ Décrivez ce qu'elle porte pour aller travailler.

....

→ Décrivez ce qu'il met pour aller à un concert de rock.

....

5 CES GENS, VOUS LES CONNAISSEZ ?

Pronoms COD de la 3e personne **le, l', la**

→ Posez les questions. Complétez avec le verbe entre parenthèses et avec le pronom qui convient.

Cet ordinateur, (utiliser) → Cet ordinateur, vous l'utilisez tous les jours ?

1. Ce livre, ... (lire).

2. Cette robe, ... (porter).

3. Ces chaussures, ... (mettre).

4. Votre amie, ... (attendre).

5. Cet appartement, ... (louer).

6 QU'EST-CE QU'ILS DISENT ?

Reconnaissance des actes de parole

→ Faites correspondre la phrase et l'acte de parole.

1. une demande d'information
2. un ordre
3. un conseil
4. l'expression d'une obligation
5. une offre

a. Soyez patiente.
b. Il faut avoir l'air sérieux.
c. Tenez, voilà une adresse.
d. Montrez sa place à Émilie.
e. Tu es toujours habillée comme ça ?

7 COMPLÉTEZ AVEC DES PRONOMS PERSONNELS COI.

Pronoms personnels COI
sing. : **me, te, lui**
plur. : **nous, vous, leur**

Vous cherchez du travail.

1. On .... indique l'ANPE. **2.** Vous .... téléphonez. **3.** On .... donne un rendez-vous. **4.** Vous parlez à un employé de l'agence. Vous .... expliquez votre situation. **5.** Il .... cherche des adresses. **6.** Vous .... demandez des renseignements sur différentes entreprises. **7.** Vous .... téléphonez. Une entreprise vous embauche. **8.** Le directeur .... présente vos collègues. **9.** Vous .... demandez de vous expliquer votre travail.

8 CONFIRMEZ.

Pronoms personnels COI
sing. : **me, te, lui**
(avec l'impératif : **moi / toi**)
plur. : **nous, vous, leur**

→ Utilisez l'impératif et des pronoms personnels compléments d'objet indirect.
– J'apporte ces dossiers à Mme Petit ? → – Oui, apportez-lui ces dossiers.

1. Nous demandons des adresses *à Mme Petit ?*

....

2. Vous écrivez *aux directeurs* des grandes entreprises ?

....

3. Je peux parler *à M. L'Hôte ?*

....

4. Je peux *vous* téléphoner ?

....

5. Il faut donner des conseils *à Émilie ?*

....

6. Je peux poser des questions *à mes nouvelles collègues ?*

....

7. Il faut expliquer son nouveau travail à *Émilie ?*

....

9 LA CONSONNE FINALE EST-ELLE PRONONCÉE DANS LES MOTS SUIVANTS ?

Prononciation
des consonnes finales

→ Soulignez le mot si la consonne finale est prononcée :

peut	peur	veux	sac	premier	tour	bus
leur	neuf	hôtel	conseil	gens	sens	noir

Mode d'emploi.

1 FORMEZ DES NOMS À PARTIR DES VERBES SUIVANTS.

Formation des mots
-age / -ment (masc.)
-ion (fém.)

→ Classez-les en noms masculins (m) et en noms féminins (f).

1. allumer : *un allumage (m)*
2. introduire : ....
3. visionner : ....
4. présenter : ....
5. passer : ....
6. stationner : ....
7. enregistrer : ....
8. exprimer : ....

2 TROUVEZ LES VERBES CORRESPONDANT AUX NOMS SUIVANTS.

Formation des mots
nom → verbe

1. arrêt : ....
2. raccord : ....
3. marche : ....
4. examen : ....
5. demande : ....
6. conseil : ....
7. montée : ....
8. descente : ....

3 COMMENT ÇA MARCHE ?

A. Vous expliquez à quelqu'un le fonctionnement de votre lecteur de disques compacts (CD). Voici la liste des opérations :

1. Raccorder le CD à l'ampli.
2. Raccorder l'ampli aux haut-parleurs.
3. Brancher l'ampli et l'allumer.
4. Choisir un disque ; le mettre.
5. Appuyer sur « lecture ».
6. Régler le volume.

B. Un(e) ami(e) vous prête un lecteur de disques compacts. Vous lui posez des questions. Il / elle vous explique comment marche l'appareil.

DOSSIER 6

QU'EST-CE QU'ILS FONT ?

Qu'est-ce qu'ils font ?

1 QUELLE HEURE EST-IL ? QU'EST-CE QU'ILS FONT ?

il est + heure

1. ....
2. ....
3. ....
4. ....

2 COMPLÉTEZ CE TEXTE AVEC LES VERBES SUIVANTS AU PRÉSENT :

•Actions habituelles :

Présent de l'indicatif
terminaisons :
je → -e ou -s
tu → toujours -s
il → -e ou -t ou -d
nous → -ons
vous → -ez
ils → -ent

sauf :
être, avoir, aller, pouvoir, vouloir, faire

voir – déjeuner – prendre – sortir – rentrer – inviter – connaître – avoir – aller – dîner

1. Les Dommergue .... une vie régulière.

2. Ils .... le petit déjeuner tous les matins à sept heures.

3. Ils .... au bureau à huit heures.

4. Ils .... ensemble à midi.

5. Ils .... chez eux vers six heures.

6. Ils .... à huit heures.

7. Ils .... un ou deux soirs par semaine.

8. Ils .... leurs amis le samedi.

9. Nous les .... une fois par mois.

10. Vous les .... ?

3 VOUS ÊTES À NEW YORK.

• Actions en cours : **présent**

Votre ami(e) habite à Paris. Quand il est 6 heures du matin à New York, il est midi à Paris.

→ Que fait votre ami(e) à Paris quand :

1. vous déjeunez à New York à midi et demie?
   Votre ami(e) ....
2. vous revenez au bureau, à 2 heures? ....
3. vous quittez votre bureau, à 5 heures? ....
4. vous dînez, à 7 heures? ....
5. vous vous couchez, à 1 heure du matin? ....

4 QU'EST-CE QU'ILS FONT ?

Verbe **faire**
Je **fais**
Tu **fais**
Il / Elle / On fait
Nous faisons
Vous **faites**
Ils / Elles **font**

→ Trouvez les questions. Utilisez le verbe **faire**.

1. .... ? – Nous déjeunons.
2. .... ? – Je vais au bureau, et toi?
3. .... ? – Elle fait des courses.
4. .... ? – Il suit un cours de français.
5. .... ? – Elles dorment.

5 CE SONT EUX QUI CHOISISSENT.

Verbes en **-ir** réguliers **(-iss)** et irréguliers aux 3 personnes du pluriel

→ Complétez la conversation avec les verbes entre parenthèses au présent.

– Tu (venir) .... , on (partir) .... , ça va fermer.

– Attends, je (finir) .... de regarder les jouets.

– Tu (réfléchir) .... déjà à ce que tu vas acheter pour Noël?

– Oui. Toi et ton mari, vous (choisir) .... toujours au dernier moment.

– Les enfants (venir) .... avec nous dans les magasins et ce sont eux qui (choisir) .... Nous (finir) .... toujours par acheter ce qu'ils veulent!

6 QU'EST-CE QU'ELLE A FAIT ?

Passé composé : auxiliaires **avoir** et **être**

→ Trouvez les questions.

– À quelle heure est-ce qu'elle est rentrée? → – Elle est rentrée à 11 heures.

1. .... ? – Elle est sortie après le petit déjeuner.
2. .... ? – Elle est allée faire des courses.
3. .... ? – Elle a déjeuné au restaurant.
4. .... ? – Elle est revenue en taxi.

7 LE JOURNAL INTIME DE RICHARD.

Passé composé :
accord sujet / participe
avec l'auxiliaire **être**

→ Complétez avec les verbes entre parenthèses.

Hier matin, je (dormir) .... jusqu'à 10 heures. Je (prendre) .... mon petit déjeuner. Je (aller) .... à la piscine pour nager. À midi, j'(déjeuner) .... avec une amie au restaurant. Nous (choisir) .... un menu à 78 francs. Elle m'(inviter) .... L'après-midi, j'(faire) .... la sieste : j'(dormir) .... une heure. J'(boire) .... du café et j'(lire) .... mon livre de français. Je (sortir) .... J'(voir) .... un film dans un cinéma de mon quartier. Le soir, j'(retrouver) .... des amis et nous (aller) .... dans une boîte. Quelle journée ! J'aime beaucoup vivre à Paris. Dans mon pays, c'est différent, je travaille !

8 NON, PAS ENCORE !

Négation :
déjà ≠ pas encore

Il fait déjà jour à 5 heures du matin ? – Non, il ne fait pas encore jour.

1. Il a déjà quitté son bureau ?

....

2. Vos enfants dorment déjà ?

....

3. Vous avez déjà déjeuné ?

....

4. Il est 4 h 30. Ils sont déjà partis ?

....

5. Elles sont déjà parties chez elles ?

....

9 ÉCRIVEZ L'HEURE.

→ Précisez le moment de la journée : le matin, l'après-midi, ou le soir.

1. *Il est onze heures moins le quart. C'est le matin.*

1 2 3 4 5

2. ....

3. ....

4. ....

5. ....

10 À QUELLE HEURE COMMENCE LE FILM ?

14 JUILLET ODEON, 113, bd St-Germain. 43.25.59.83. M° Odéon. Perm. de 11h30 à 0h30. Séance suppl. à 24 h. Pl : 39 F. Lun, tarif unique : 30 F (sf fêtes et veilles de fêtes) ; Séance de 12h : 30 F (sf Sam, Dim et fêtes) ; -18 ans : 30 F (du Dim 20h au Mar 19h) ; Etud, Chômeurs, milit : 30 F (les Mer, Jeu et Ven jusqu'à 18h30) ; FN : 30 F (du Mar au Ven). Gpes scol : 21 F (réserv : 43.25.19.71)

Les affranchis v.o. Int -16 ans. Dolby stéréo.
Séances : 12h30, 15h, 17h30, 20h, 22h30 ; Sam séance suppl. à 0h50 ; Film 10 mn après.

Un week-end sur deux
Séances : 12h25, 14h15, 16h15, 18h15, 20h15, 22h15 ; Sam séance suppl. à 0h15 ; Film 15 mn après.

Aventures de Catherine C.
Séances : 12h25, 14h25, 16h25, 18h25, 20h25, 22h25 ; Sam séance suppl. à 0h25 ; Film 15 mn après.

Ils vont tous bien v.o.
Séances : 13h30, 15h45, 18h, 20h15, 22h30 ; Sam séance suppl. à 0h40 ; Film 10 mn après.

Docteur Petiot.
Séances : 12h20, 14h20, 16h20, 18h20, 20h20, 22h20 ; Sam séance suppl. à 0h20 ; Film 15 mn après.

1. À quelle heure commence la première séance de l'après-midi? Pour quel film?

....

2. Est-ce qu'il y a des séances le soir pour le *Docteur Petiot*? À quelle heure?

....

3. Quels films passent en version originale?

....

4. À quelle heure finissent les dernières séances?

....

5. Quel film voulez-vous voir? À quelle séance voulez-vous aller?

....

11 PARLEZ DE VOTRE VILLE.

1. Quelle heure est-il dans votre ville en ce moment?

....

2. À quelle heure est-ce qu'il fait jour en hiver? En été?

....

3. À quelle heure est-ce qu'il fait nuit?

....

4. À quelle heure est-ce que les magasins ouvrent? À quelle heure est-ce qu'ils ferment?

....

5. Quels sont les horaires des bureaux?

....

Thierry change de look.

1 TROUVEZ LES VERBES CORRESPONDANTS.

Formation des mots :
mots terminés en **-ie** (fém.) :
une sortie
une plaisanterie

1. une sortie : ....
2. un achat : ....
3. une plaisanterie : ....
4. un envoi : ....
5. un amusement : ....

2 ÇA FERME À QUELLE HEURE DANS VOTRE PAYS ?

Ça est très employé dans la conversation courante.

Ça remplace des mots ou des groupes de mots.

le mardi = tous les mardis

– La poste, ça ferme à quelle heure le samedi ? → – Ça ferme à midi.

1. La poste, ça ferme à quelle heure le soir ? → ....
2. Les banques, ça ouvre à quelle heure le matin ? → ....
3. Les bureaux, ça ferme à quelle heure ? → ....
4. Les musées, ça ouvre le dimanche ? → ....
5. Les matchs de foot, ça commence à quelle heure ? → ....

3 METTEZ ENSEMBLE QUESTIONS ET RÉPONSES.

1. Comment ça va ?
2. Ça marche ton boulot ?
3. Ça, qu'est-ce que c'est ?
4. On va bien au Forum des Halles ?
5. Je mets un pantalon et un pull ?
6. Demain, je fais du vélo. Tu aimes ça ?

a. Non, mets un jean et un blouson.
b. Oui, ça me plait.
c. Non, je n'aime pas ça.
d. Ça va bien.
e. Ça, c'est deux billets pour le cinéma.
f. Oui, c'est ça.

Verbes pronominaux
Je m'habille

Pronoms réfléchis :
me/te/se/nous/vous/leur

1 seul pronom
à la 3e personne : **se**

4 QU'EST-CE QU'ILS FONT ?

1. À quelle heure est-ce que vous vous levez?

   ....

2. Comment s'habillent vos amis le soir, pour aller danser?

   ....

3. Où est-ce que vous vous promenez?

   ....

4. Est-ce qu'on s'amuse dans les boîtes?

   ....

5. Où est-ce que vos amis et vous, vous vous retrouvez?

   ....

Acte de paroles

5 COMMENT EST-CE QU'ILS LE DISENT ?

→ Trouvez dans le texte de la bande dessinée une façon :

1. d'exprimer son impatience (ou son irritation).

   ....

2. d'exprimer sa satisfaction.

   ....

3. de refuser gentiment.

   ....

4. d'exprimer son désir de partir.

   ....

5. d'attirer l'attention de l'autre.

   ....

6 QU'EST-CE QU'ILS N'ONT PAS FAIT ?

→ Répondez aux questions avec des phrases négatives.

1. Nous sommes sortis hier soir, et vous? ....
2. Nous sommes allés au cinéma, pas vous? ....
3. Nous avons dîné au restaurant, et vous? ....
4. Vous avez rencontré des amis? ....
5. Vous êtes rentrés tard? ....

7 QU'EST-CE QU'IL A RACONTÉ ?

→ Mettez les verbes entre parenthèses à la forme convenable.

Thierry : – Hier, je (sortir) .... avec Émilie. Nous (aller) .... danser.

Son ami : – Vous (rentrer) .... à quelle heure ?

Thierry : – À deux heures du matin. J'(dormir) .... quatre heures cette nuit et, ce matin, je (faire) .... du vélo à sept heures !

Son ami : – Émilie (trouver) .... du travail ?

Thierry : – Oui, elle (commencer) .... la semaine dernière.

Son ami : – Elle (avoir) .... de la chance !

8 QU'EST-CE QU'ILS METTENT ?

1. Que met Thierry pour :

– aller travailler ? ....

– faire du vélo ? ....

– aller danser ? ....

2. Que met Émilie pour :

– aller danser ? ....

– aller travailler ? ....

9 ÇA S'EST PASSÉ AVANT.

Les expressions de temps

→ Mettez les phrases au présent.

Le mois dernier, nous avons pris une semaine de vacances.
→ Ce mois-ci, nous prenons une semaine de vacances.

1. Hier, nous sommes allés au cinéma.

....

2. La semaine dernière, nous avons vu une exposition de peinture.

....

3. Nous avons fait les courses ce matin.

....

4. L'année dernière nous sommes souvent partis en week-end.

....

5. Hier soir, des amis sont venus dîner à la maison.

....

10 UN EMPLOI DU TEMPS CHARGÉ !

A. Un(e) de vos ami(e)s est à Paris pour quelques jours. Il (elle) vous téléphone pour vous rencontrer. Vous avez un emploi du temps chargé. Vous essayez de trouver un moment pour le (la) voir. Vous lui demandez quand il (elle) est libre.

	Lundi		*Mardi*		*Mercredi*
9 h	bureau	9 h	bureau	9 h	réunion
12 h	dentiste	12 h	libre	12 h	déjeuner clients
13 h 15	bureau	13 h 15	bureau	14 h 30	fin réunion
18 h 15	courses avec Françoise	18 h 15			
		18 h 30			
				19 h	libre
19 h 30	libre	19 h 30	coiffeur		
		20 h			
		20 h 30	dîner resto avec Guy		

B. Vous êtes à Paris pour trois jours. Vous téléphonez à un(e) ami(e) pour le (la) rencontrer. Vous avez beaucoup de choses à faire et à voir en trois jours. Vous essayez de trouver un moment où vous êtes libres tous les deux.

	Lundi		*Mardi*		*Mercredi*
9 h 30	musée Picasso	10 h	La Villette	10 h	Pyramide + Louvre
12 h	libre				
				13 h 30	
14 h	Beaubourg			14 h	musée d'Orsay
		16 h	cinéma		
				18 h	libre
		18 h 30	libre		
19 h 30					
20 h	dîner Dutter				
				20 h 30	gare de Lyon départ

DOSSIER 7

DE QUOI AVEZ-VOUS BESOIN ?

Savez-vous manger ?

1 GROUPEZ LES NOMS D'ALIMENTS DE LA PAGE 97 DE VOTRE MANUEL SELON LE GENRE .

Exceptions aux règles de reconnaissance du genre des noms : un légume, une eau minérale

masculin : *du bœuf* féminin : *de la viande*

....

....

....

En général, par quels sons ou par quelle consonne se terminent : les mots masculins? les mots féminins?

2 QU'EST-CE QUE C'EST ?

Article partitif **(partie)**
≠ Article indéfini (une **unité**)

C'est du pain. *C'est un pain.*

1. .... 3. ....

2. .... 4. ....

Article défini :
sens général

3 QU'EST-CE QU'ILS AIMENT ? QU'EST-CE QU'ILS N'AIMENT PAS ?

. . . .

. . . .

4 DE QUOI EST-CE QUE VOUS VOULEZ / VOUS NE VOULEZ PAS ?

Article partitif :
du, de la, de l', des
= sens restrictif :
une partie,
une certaine quantité de…

LE PETIT SAINT-BENOIT

4, Rue Saint-Benoît - PARIS (6ᵉ)

Téléphone : 42 60 27 92

LES CHEQUES NE SONT PLUS ADMIS

30 Janvier 1990

Hors d'œuvre

Poireaux vinaigrette 17
Tomate Concombre 17
Assiette de crudités 17
Filet de Hareng 16
Museau 16 Cervelas 16
Rollmops 16 Avocat 16
Terrine maison 17
Saucisson sec 16
Palette Andouille 16
oeuf mayonnaise 16
Céleri rémoulade 16
Pamplemousse 16

Potage aux légumes 10
Plat du Jour
Lieu Meunière 45
Gigot d'agneau H. blanc 46
Escal. Pané riz 43
Onglet Sce Bordelaise 43
Foie de Veau Meunière 43
Poulet rôti 40
Hachis parmentier 34
Viande froide mayonnaise 43
Bœuf bourguignon 39
Tripes à la mode de caen 40

Légumes 12 Purée. Pomme boulangère
Salade verte 12

Fromage 15 Camembert - Brie chèvre
gruyère. Pont l'évêque. Roquefort - yaourts

Desserts. charlotte aux pommes 15 Mont blanc 15
Tarte myrtille 15 Tarte citron 15
Tarte aux poires 15. Poire au vin 10
Poire bourdaloue 15 gâteau chocolat 15
gâteau strausbourg 15 Compote de pommes 14
Glaces 16 mystère. Parfait Cassate

Rouge 26
Blanc 26
Rosé 26
VINS SUPERIEURS A.C.
Beaujolais
Vin de Pays 58
Côtes-du-Rhône 38
Muscadet 40
Bordeaux 40
BIERE
EAUX MINERALES
Apéritifs
Alcools 15.18
Café
Prix nets
Service compris

	Je veux...	Je ne veux pas...
hors-d'œuvre	. . . .	. . . .
plat principal	. . . .	. . . .
dessert	. . . .	. . . .
boisson	. . . .	. . . .

5 COMPLÉTEZ LE TEXTE AVEC DES ARTICLES.

Coralie n'aime pas tout. Elle mange .... poisson mais elle préfère .... viande. Et elle n'aime pas toutes .... viandes. Elle prend souvent .... bœuf mais elle ne mange pas .... mouton. Elle mange beaucoup .... légumes. Elle sait que .... lait est riche en vitamines et elle mange .... fromage. Elle adore .... desserts mais .... sucre n'est pas très bon pour la santé !

6 AVEC QUOI EST-CE QU'ON FAIT :

Article partitif (sens restrictif) ≠ article défini : (sens général, totalité)

1. le pain? → Avec de la farine, ...

....

2. le fromage? ....

....

3. les pâtes? ....

....

4. le yaourt? ....

....

5. les gâteaux? ....

....

7 COMBIEN EST-CE QU'ILS EN BOIVENT ?

en = de + nom
en (employé seul) = quantité non précisée
en + quantité précisée

Est-ce que vous buvez du lait? → – Oui, j'en bois un demi-litre par jour. / un peu. / beaucoup.

1. Est-ce que vous buvez de l'eau?

....

par jour = en un jour, chaque jour

2. Combien est-ce que vous en buvez par jour?

....

3. Est-ce que vos amis boivent du vin? Combien est-ce qu'ils en boivent par jour?

....

4. Est-ce qu'on boit du thé dans votre famille? Combien est-ce qu'on en boit?

....

5. Quand est-ce qu'on boit du café dans votre famille?

....

6. Combien est-ce que vous en buvez? Une tasse? Plus d'une tasse?

....

Partitif + nom =
en + quantité

8 QU'EST-CE QU'IL VOUS FAUT POUR FAIRE CE GÂTEAU ?

→ Faites la liste des ingrédients. Indiquez les quantités comme dans l'exemple.

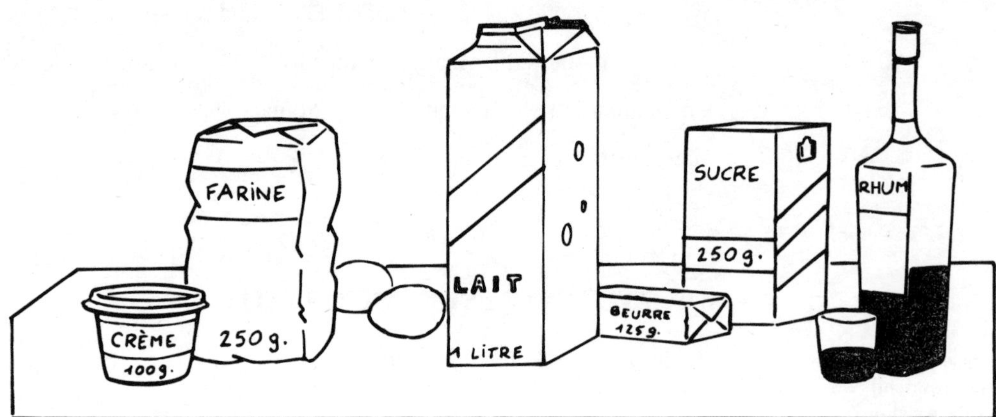

Il faut de la farine. Il en faut 250 grammes.

....

....

....

....

9 PROBLÈMES.

→ Consultez le tableau des calories de votre manuel.

Si vous mangez 100 g de viande, 100 g de pain et 200 g de pommes de terre, combien de calories est-ce que ça apporte ? – Ça en apporte 640.

1. Et si vous mangez 200 g de pommes de terre avec 100 g de viande de bœuf et 2 biscottes ?

....

2. Et si vous mangez 100 g de saumon, 50 g de pain et de la salade ?

....

3. Et si vous mangez 2 œufs, 1 biscotte et 1 orange ?

....

10 QU'EST-CE QUE VOUS AVEZ MANGÉ ?

Expression
de la quantité

→ Précisez les quantités.

Au déjeuner, j'ai bu ....

j'ai bu (quantité) ....

J'ai mangé ....

....

....

Qu'est-ce qu'il faut emporter ?

1 QU'EST-CE QUE C'EST ?

→ Lisez la définition et trouvez le mot.
Pour vous aider, relisez la bande dessinée

1. L'eau ne peut pas traverser ce vêtement. ....
2. Ça se met sur un lit. Ça tient chaud. ....
3. Quand on n'a pas de lit, on peut coucher dedans. ....
4. Prendre avec soi (pour le voyage). ....
5. Pas lourd. ....
6. Itinéraire, chemin à faire. ....

2 DEVINEZ-LES.

Utiliser **-aine** uniquement avec : 8, 10, 12, 15, 20, 30, 40, 50, 60 et 100.

→ Si une **dizaine** veut dire « plus ou moins dix » (+ ou - 10), comment dit-on :

1. + ou - 8? ....
2. + ou - 12? ....
3. + ou - 15? ....
4. + ou - 20? ....
5. + ou - 30? ....
6. + ou - 100? ....

3 QU'EST-CE QU'ILS VONT FAIRE ?

Futur proche : expression de l'intention

Verbe aller au présent + infinitif

→ Posez-leur une question en employant le futur proche pour indiquer l'intention et répondez.

J'ai perdu mon passeport. → Qu'est-ce que tu vas / vous allez faire ? → Je vais aller à la préfecture.

1. Nous partons en randonnée la semaine prochaine.
....
2. Elle reçoit trente personnes samedi prochain.
....
3. Ma fille invite sa correspondante espagnole.
....
4. Je vais au cinéma, tu viens?
....
5. Elles partent en vacances mais elles n'ont plus de voiture.
....

4 QU'EST-CE QUE C'EST QUE ÇA ?

→ Que remplace *ça* dans les expressions suivantes? Aidez-vous du texte de la bande dessinée.

1. C'est bien français, ça !

....

2. Ça peut vous être utile.

....

3. Ça coupe les jambes.

....

4. Pensez à tout ça.

....

5 QU'EST-CE QU'ILS EXPRIMENT ?

Actes de parole

→ Mettez une croix en face de la bonne réponse.

1. – Je vais au musée Picasso avec mon fils.
– Votre fils? Il s'intéresse à la peinture maintenant?
surprise ❑ ordre ❑ conseil ❑

2. – Si j'ai un problème, je peux vous en parler?
– Bien sûr. N'hésitez pas à nous téléphoner.
possibilité ❑ encouragement ❑ permission ❑

3. – Quel temps fait-il en ce moment?
– Il fait beau mais prenez un vêtement chaud, les nuits peuvent être fraîches.
interdiction ❑ conseil ❑ ordre ❑

6 QU'EST-CE QUI PEUT ARRIVER PENDANT UNE EXCURSION ?

Exprimer la possibilité avec **pouvoir** + infinitif

→ Imaginez des situations pour employer les expressions suivantes et le verbe *pouvoir*:
froid / chaud – pleuvoir / neiger – avoir faim / soif – se gâter – couper les jambes

Prenez des vêtements légers parce qu'il peut faire chaud.

1. Il ....

2. Nous ....

3. Ça ....

4. On ....

5. ....

6. ....

7 ILS NE SONT PAS D'ACCORD !

→ La famille Durafour part en excursion pour la journée. Regardez le dessin et imaginez le dialogue.

....

....

....

....

8 OBSERVEZ.

g + u / o / a
≠
ge + u / o / a

Présent des verbes en **-ger** ou **-cer**

→ Quelle est la 1re personne du pluriel du présent de ces verbes ?

1. manger : nous ....
2. changer : nous ....
3. nager : nous ....
4. placer : nous ....
5. tracer : nous ....
6. lancer : nous ....

→ Pourquoi change-t-on **g** en **ge** et **c** en **ç** ?

9 IL FAUT FAIRE LES COURSES !

A. Vous invitez des amis à dîner. Votre femme / mari vous demande d'aller faire des courses.
Vous lui demandez ce qu'il faut acheter et en quelle quantité.
Vous faites d'autres suggestions. Faites une liste.

B. Vous invitez six amis à dîner. Vous allez leur présenter :
– en entrée : *quiche lorraine* (farine, beurre, lait, œufs, crème, lard, gruyère, sel et poivre) ;
– en plat principal : *côte de bœuf grillée ;*
– comme légumes : *haricots verts et frites* (pommes de terre, huile, beurre) ;
– *fromages et salade verte ;*
– comme dessert : *tarte aux pommes* (farine, lait, beurre, sucre, pommes).
Vous dites à votre mari / femme ce que vous allez faire et ce qu'il faut acheter. Évaluez les quantités. Vérifiez la liste écrite par votre partenaire.

Futur simple :
Je partir**ai**
Tu partir**as**
Il / Elle / On partir**a**
Nous partir**ons**
Vous partir**ez**
Ils / Elles partir**ont**

10 ILS VONT LE FAIRE.

→ Réécrivez ces phrases en marquant plus nettement l'intention.

Nous partirons sans doute en Angleterre l'été prochain.
→ Nous allons partir en Angleterre l'été prochain.

1. J'irai peut-être au cinéma ce soir. ....

....

2. Vous viendrez nous voir un de ces jours. ....

....

Futur proche :
Aller + infinitif

3. Nous prendrons quelques jours de vacances si c'est possible. ....

....

4. Ils feront leur possible pour vous aider. ....

....

5. Ma sœur m'accompagnera si elle a le temps. ....

....

11 ÇA SERA UNE BELLE FÊTE !

Le futur simple
et le futur proche

→ Complétez la conversation de Thierry et d'Émilie.

Thierry : Émilie, je (fêter) .... mon anniversaire ce soir. Tu peux m'aider ?

Émilie : Bien sûr, si tu veux je (faire) .... les courses tout de suite et après je (s'occuper) .... des disques. Je suis libre cet après-midi. Nous (faire) .... les courses ensemble. Avant je (téléphoner) .... à ma mère. Elle (pouvoir) .... faire les gâteaux. Tu as assez de verres ?

Thierry : Non, mais je pense que Sébastien en (apporter) .... Je (lui demander) .... tout de suite.

Émilie : Où est-ce qu'on (danser) .... ?

Thierry : On (mettre) .... les meubles contre le mur. Comme ça, on (avoir) .... de la place pour danser.

Émilie : On va bien s'amuser !

Êtes-vous un Français moyen à table ?

1 CHERCHEZ DES ÉQUIVALENTS DANS LE TEXTE.

1. Le premier plat d'un repas : ....

2. S'occuper de, penser sérieusement à : ....

3. Étude du régime alimentaire : ....

4. Aliment sucré de la fin du repas : ....

5. Personnel dirigeant dans une entreprise : ....

2 TRANSFORMEZ LE TEXTE.

→ Réécrivez le deuxième paragraphe. Remplacez certaines questions par des affirmations.

Les Français préfèrent ....

....

....

....

....

....

....

DOSSIER 8

ÇA SE PASSE COMMENT ?

Ici Radio Côte d'Azur.

Inversion
D'où vient-**il** ?
Où va-t-**il** ?

Pronom de reprise :
Où Olivier Lambert travaille-**t-il** ?

1 POSEZ DES QUESTIONS SUR LES MOTS SOULIGNÉS.

→ Dans vos questions, utilisez l'inversion sujet-verbe.

La voiture avance lentement. → *Comment la voiture avance-t-elle ?*

1. Olivier Lambert vous parle du palais des Festivals.

....

2. Les gens attendent leur vedette préférée devant le palais.

....

3. Olivier Lambert parle de Gérard Depardieu avec enthousiasme.

....

4. À 11 heures, il va répondre aux journalistes.

....

5. Le comité du Festival organise un déjeuner pour lui.

....

6. Il espère avoir le prix d'interprétation.

....

2 QU'EST-CE QUI SE PASSE ?

1. Qu'est-ce qui se passe à Roland-Garros? ....

2. Qui est-ce que les admiratrices attendent? ....

qu'est-ce que... ? (pour une chose)
qu'est-ce qui... ? (pour une personne)

3. Qu'est-ce qu'on organise? ....

4. Qui est-ce qui organise une conférence de presse? ....

5. Qu'est-ce que Santoro espère? ....

3 POSEZ DES QUESTIONS SUR LES MOTS SOULIGNÉS.

2 questions à se poser

- S'agit-il : d'**une personne** (qui) ou d'**une chose** (que) ?
- Est-ce **un sujet** (qui) ou **un COD** (que) ?

1. Les journalistes attendent. ....
2. On peut voir des centaines d'affiches. ....
3. Une grande vedette arrive. ....
4. Le président du festival va le recevoir. ....
5. On organise un grand déjeuner pour lui. ....
6. La voiture s'arrête. ....
7. Il signe des autographes. ....

4 FAITES LES DIALOGUES.

Prépositions de temps

→ Posez trois questions à chaque fois et inventez les réponses.
Utilisez : dans – pendant – depuis.

1. Un apprenti journaliste interroge une actrice célèbre.

....

....

....

2. Interview exclusive de l'Ours, la vedette du film de J.-J. Annaud.

....

....

....

5 QUESTIONS PERSONNELLES.

dans
pendant
depuis

1. Depuis combien de temps suivez-vous des cours de français?

   ....

2. Pendant combien de temps allez-vous l'apprendre?

   ....

3. Dans combien de temps espérez-vous parler français?

   ....

4. Depuis combien de temps faites-vous systématiquement tous les exercices?

   ....

5. Pendant combien de temps lisez-vous du français chaque jour?

   ....

6. Dans combien de temps allez-vous lire des journaux français?

   ....

6 UN JOURNALISTE INTERVIEWE UN SPECTATEUR AU SUJET DE G. DEPARDIEU.

→ Complétez le dialogue. Trouvez les questions.

1. – .... ?

   – Je l'attends depuis une heure.

2. – .... ?

   – Il va arriver dans quelques minutes.

3. – .... ?

   – Je le connais depuis ses débuts au cinéma.

4. – .... ?

   – Je ne sais pas. Un jour ou deux peut-être.

5. – .... ?

– Je ne peux pas entrer dans la salle. Je n'ai pas de billet.

6. – .... ?

– Oui, je viens tous les ans. J'adore le cinéma.

7 COMPLÉTEZ AVEC *CONNAÎTRE* OU *SAVOIR*.

– Vous .... ce qu'on joue ce soir?

– Je .... que c'est un film avec Bernard Langrain.

– Langrain? Je ne le .... pas.

– Comment! Vous ne .... pas qui est Langrain!

– Non, je ne .... pas le nom de tous les acteurs.

8 DEMANDEZ-LE AUTREMENT.

connaître + nom COD
savoir + infinitif + que / si / où...

Où le festival a-t-il lieu? → Vous savez où le festival a lieu?

1. Combien de temps dure-t-il?

....

2. Quelles vedettes vont venir?

....

3. Le titre du dernier film de J.-L. Godard?

....

4. Qui est-ce qui va faire le reportage pour Radio Côte d'Azur?

....

5. Quel est le metteur en scène du *Grand Bleu*?

....

6. Quand Depardieu va-t-il arriver?

....

7. Est-ce qu'il va signer des autographes?

....

On fait la course ?

Action en cours :
être en train de + infinitif

1 QU'EST-CE QU'ILS SONT EN TRAIN DE FAIRE ?

....

....

....

....

Indices pour l'inférence = pour trouver le sens des mots.

2 COMMENT TROUVEZ-VOUS LE SENS DES MOTS NOUVEAUX DANS UN TEXTE ?

→ Regardez la bande dessinée, p. 115 de votre manuel.

	ressemble à un mot de ma langue	grâce au dessin	grâce à la situation	formation du mot
ferme		✗	✗	
réparer un pneu				
se fâcher				
avoir soif				
chaleur				
porte-bagages				
ça grimpe !				

3 COMBIEN DE TEMPS EST-CE QU'ILS VONT METTRE POUR Y ALLER ?

Le pronom **y**

→ Reportez-vous à la carte page 116 de votre manuel et imaginez les réponses.

1. Pour aller de Cahors à Gourdon à vélo? → Ils vont y aller ....

....

2. Pour aller de Gourdon à Souillac en voiture? ....

....

3. Pour aller de Souillac aux grottes de Lacave à pied? ....

....

4 QUAND VONT-ILS Y ARRIVER ?

Paris-Marseille en train : huit heures. Départ de Paris : 12 h 35.
→ Ils vont y arriver le soir à 20 h 35 / à 8 h 35 du soir.

Expressions de temps :
le matin, à midi, le soir, la nuit, à 21 heures...

1. Paris-Lyon en TGV : deux heures vingt. Départ Paris : 8 h 17.

....

2. Madrid-Paris en avion : deux heures. Départ Madrid : 22 h 15.

....

3. Paris-Nice en avion : une heure vingt. Départ Paris : 10 h 40.

....

4. Londres-Paris en voiture : trois heures. Départ Londres 13 heures.

....

5. Paris-Athènes en avion : quatre heures. Départ Paris : 20 heures.

....

5 LOISIRS.

→ Répondez par une phrase complète. Utilisez *y* ou *en* dans vos réponses.

Ça t'arrive d'aller au théâtre ? → – Oui, ça m'arrive d'y aller quand les places ne sont pas chères.

Destination : **y**
Provenance : **en**

1. Tu vas souvent à la campagne le samedi? → – Oui, ...

....

2. Elles reviennent d'un concert ? → – Oui, ...

....

3. Il y a longtemps que tu es revenu de vacances? → – Non, ...

....

4. Tu es partie de ton club de sport? → – Oui, ...

....

5. Tu retournes vivre à l'étranger? → – Non, ...

....

6 CHASSEZ L'INTRUS.

→ Éliminez le mot qui n'appartient pas à la série.

1. changer (une roue) – réparer – manger – démonter

2. cour – cidre – tarte – pain

3. ferme – maison – gare – villa

4. film – se fâcher – vedette – festival

7 INVENTEZ UNE HISTOIRE.

→ Utilisez les mots suivants :

fermier – randonnée – partir – la semaine prochaine – sac de couchage – soleil, etc.

....

....

....

....

Autour d'un film

1 TÊTE D'AFFICHE.

Batman, de Tim Burton : milliardaire à la vie facile le jour, justicier masqué la nuit, l'homme chauve-souris affronte son ennemi intime, le Joker, un clown sanguinaire qui terrorise Gotham City. D'après la bande dessinée de Bob Kane. Avec Jack Nicholson, Michael Keaton, Kim Basinger, Jack Palence.

L'Ours, de Jean-Jacques Annaud : les mésaventures d'un petit ours brun orphelin et d'un vieux grizzli solitaire, poursuivis par des chasseurs dans les montagnes de la Colombie britannique. D'après Jamie Oliver Curwood. Avec Tcheky Karyo, Jack Wallace, André Lacombe et les ours La Douce, Bart...

Frantic, de Roman Polanski : un Américain recherche sa femme mystérieusement disparue dès leur arrivée à Paris. Avec Harrison Ford, Betty Buckley, Emmanuelle Seigner.

Vacances romaines, de William Wyler : l'aventure amoureuse d'une princesse royale, en visite officielle à Rome, et d'un journaliste américain à travers la ville éternelle. Avec Audrey Hepburn et Gregory Peck.

1. Lisez ces résumés de films et dites à quel genre ils appartiennent : aventure, fantastique, comédie, western, policier, historique...

....

....

....

2. Quel(s) film(s) aimeriez-vous voir? Donnez vos raisons (le genre, le metteur en scène, les acteurs, le sujet...).

....

....

....

....

....

2 LISEZ L'HISTOIRE DU FILM *LE DERNIER MÉTRO*.

→ Résumez-la pour un programme de spectacles. Éliminez tout ce qui n'est pas essentiel.

Le Dernier Métro est un film de François Truffaut, de 1980, avec Catherine Deneuve, Gérard Depardieu et Jean Poiret.

L'histoire, une chronique historique, se passe à Paris en 1942 sous l'occupation allemande. Marion Steiner, une comédienne, a pris la direction du théâtre Montmartre après le départ en Amérique de son mari, Lucas Steiner, un juif allemand. Elle monte une nouvelle pièce aidée de Jean-Loup Cottins, un ami des Steiner. Elle habite à l'hôtel mais elle revient en secret la nuit au théâtre. En effet, son mari est toujours à Paris, caché dans la cave du théâtre. Il n'a pas pu partir. Marion engage un jeune comédien, Bernard Granger. Elle tombe amoureuse de lui. De sa cave, Lucas Steiner suit les répétitions de la pièce et indique le soir à sa femme tous les changements à faire. Il devine que sa femme est amoureuse de Bernard. Un critique de théâtre antisémite, Daxiat, découvre que Lucas Steiner n'a pas quitté la France. Il fait une violente critique de la pièce et envoie deux agents de la Gestapo inspecter les caves.
Prévenu par sa femme, Lucas, aidé de Bernard, a juste le temps de se cacher. Bernard quitte le théâtre pour partir dans la Résistance.
Deux ans plus tard, Paris est libéré. Lucas Steiner sort de sa cave.
On assiste à la représentation d'une nouvelle pièce avec Marion et Bernard. C'est Lucas le metteur en scène...

....

....

....

....

....

....

....

....

DOSSIER 9

QU'AVEZ-VOUS FAIT ?

La première dame de la haute couture.

Participes passés

Verbes réguliers :
en **-é** (manger)
en **-i** (finir)

Verbes irréguliers :
en **-is** (prendre)
en **-i** (sortir)
en **-u** (voir)
en **-it** (écrire)

1 TROUVEZ LES PARTICIPES PASSÉS DES VERBES SUIVANTS :

1. créer : ....
2. vendre : ....
3. partir : ....
4. pouvoir : ....
5. prendre : ....
6. avoir : ....

2 QU'A FAIT MADAME ?

Racontez sa journée.

Passé composé :
auxiliaires **être** et **avoir**

(aller)  (voir, aimer)

....
....
....

(partir)  (aller, rendre)  (ressortir, rentrer)

....
....
....

3 LA JOURNÉE D'UN HOMME D'AFFAIRES.

Passé composé

→ Monsieur Loriot est un homme très occupé. Regardez son emploi du temps et dites tout ce qu'il a fait mardi...

8 heures :	petit déjeuner d'affaires à la Coupole avec M. Maréchal
9 h 50 :	départ gare de Lyon pour Moulins
11 h 30 – 12 h 30 :	visite de l'usine de chaussures
12 h 30 – 14 heures :	déjeuner-réunion avec le PDG
14 h 35 :	retour Paris
17 heures – 18 h 15 :	réunion avec le chef du personnel
18 h 30 – 19 h 30 :	tennis
20 h 30 :	dîner avec Nicole chez les Lagarde

4 COMPLÉTEZ AVEC LES ADJECTIFS ENTRE PARENTHÈSES.

accord des adjectifs

Cette année, la mode (nouveau) .... apporte peu de changements. Les jupes sont toujours plutôt (court) .... et (étroit) ...., les formes (droit) .... , et les tissus des robes, (léger) .... et (transparent) .... On remarque quelques pantalons (court) .... , de lignes (simple) .... et (jeune) .... Ils font des silhouettes (curieux) .... Il y en a peu dans les collections de la (haut) .... couture.

5 COMPLÉTEZ CE TEXTE AVEC DES VERBES AU PASSÉ COMPOSÉ.

Passé composé

travailler – choisir – lancer – naître – commencer – faire – perdre – devenir – créer – être – durer – pouvoir – ouvrir – mourir

Christian Dior .... en 1905. Il .... ses études à l'École des sciences politiques et il .... diplomate. Sa famille .... sa fortune en 1930. Il .... à dessiner des chapeaux et il .... vendre des dessins de mode. Puis il .... comme modéliste. En 1946, il .... sa maison de couture avenue Montaigne. Sa première collection, en 1947, ... un triomphe. Son «new look» .... une révolution dans la mode. La même année, il .... son célèbre parfum «Miss Dior». Mais sa carrière .... longtemps. Il .... en 1957. Il .... son successeur, Yves Saint Laurent.

6 ÊTRE OU AVOIR ?

→ Donnez les formes de la 3e personne du pluriel du passé composé avec le sujet *elles*. Utilisez l'auxiliaire *être* et *avoir*.

Avec l'auxiliaire **être** : **accord** sujet-participe passé

1. venir : ....
2. voir : ....
3. sortir : ....
4. réussir : ....
5. revenir : ....
6. rester : ....

7 QU'ONT-ILS FAIT ?

→ Faites l'accord des participes passés et précisez si le pronom *se* est COI ou COD.

Elles se sont connues au lycée. (se connaître/connaître quelqu'un) → ***se*** *= COD*

Le passé composé des verbes pronominaux

1. Ils se sont .... un moment. (se regarder / regarder quelqu'un)
2. Elles se sont .... avant de sortir. (se téléphoner / téléphoner à quelqu'un)
3. Elle s'est .... toute seule. (se retrouver / retrouver quelqu'un)
4. Ils se sont .... pendant plusieurs années. (s'écrire / écrire à quelqu'un)
5. Ils se sont .... l'année dernière. (se marier / se marier avec quelqu'un)
6. On s'est bien .... pendant le mariage. (s'amuser / amuser quelqu'un)

8 PARLEZ DE VOUS.

1. Quand êtes-vous arrivé(e) dans la ville où vous êtes?

....

2. Où êtes-vous allé(e) à l'école?

....

3. Êtes-vous déjà monté(e) en avion? Combien de fois? Quand?

....

4. Avez-vous fait un grand voyage? Quand? Comment? Pourquoi?

....

5. Où avez-vous passé votre enfance?

....

6. Avez-vous habité dans un autre pays? Combien de temps?

....

7. Quel livre avez-vous lu le mois dernier?

....

8. Quel film avez-vous vu?

....

9 C'EST ARRIVÉ BIEN TARD!

Restriction : **ne... que**

Découverte de l'Amérique / 1492 → On n'a découvert l'Amérique qu'en 1492.

1. Inventer le métier à tisser / 1729

....

2. Construire des cinémas / au début du siècle

....

3. Apparition de la télévision dans les foyers / années 1950

....

4. Équipement en magnétoscopes des familles / années 1980

....

5. Commencer à acheter des ordinateurs personnels / depuis quelques années

....

10 LES GRANDS MOMENTS DE LA VIE DE CHRISTIAN DIOR

La mise en valeur :

C'est
+ (temps, cause, manière, lieu…)
+ **que…**

→ Relisez le texte page 68 et mettez en valeur les dates importantes de la biographie de Christian Dior.

Naissance de Christian Dior → C'est en 1905 que Christian Dior est né.

1. École des Sciences politiques.

……………………………………………………………………………

2. Dessiner des chapeaux.

……………………………………………………………………………

3. Vendre des dessins de mode.

……………………………………………………………………………

4. Ouverture de sa maison de couture.

……………………………………………………………………………

5. Création du « new look ».

……………………………………………………………………………

6. Sa carrière n'a pas duré longtemps.

……………………………………………………………………………

11 VOUS VOULEZ ÉCRIRE LA BIOGRAPHIE D'UN(E) AMI(E) FRANCOPHONE OU D'UN PERSONNAGE CÉLÈBRE.

Questions au passé composé

→ Préparez cinq questions à lui poser.

……………………………………………………………………………

……………………………………………………………………………

……………………………………………………………………………

……………………………………………………………………………

……………………………………………………………………………

12 COMPLÉTEZ CETTE GRILLE AVEC LES ADJECTIFS CONTRAIRES.

→ Vous trouverez (verticalement) le nom d'un jeune couturier célèbre.

1. court ……………
2. vraies ……………
3. froide ……………
4. larges ……………
5. ancien ……………
6. sophistiqué ……………
7. laids ……………

1
2
3
4
5
6
7

Il n'a pas voulu venir !

1 COMMENT AVEZ-VOUS COMPRIS CES MOTS ?

Indices pour l'inférence

	ressemble à un mot de ma langue	grâce au dessin	grâce à la situation	formation du mot
sur les genoux				
le circuit				
ça a marché				
servir (le café)				
épouvantable (temps)				
plat				

→ Faites une phrase avec chacun de ces mots ou expressions.

2 COMPLÉTEZ LES PHRASES AVEC DES VERBES AU PASSÉ COMPOSÉ.

14 verbes et leurs composés forment leur **passé composé** avec l'auxiliaire **être**

1. Elles sont .... dans le train.
2. Elle est .... de vélo.
3. Ils sont .... une heure plus tard.
4. Elles sont .... nous voir.
5. Vous êtes .... là-bas huit jours.
6. Ils sont .... vers 8 h.

3 QU'EST-CE QUI S'EST PASSÉ ?

Passé composé avec **être**

→ Répondez selon les indications de la bande dessinée.

1. Combien de temps les Delcour sont-ils restés loin de chez eux?

....

2. Quel jour de la semaine sont-ils revenus?

....

3. Où Émilie est-elle allée?

....

4. Est-ce que tous les randonneurs sont venus chez les Delcour? Qui n'est pas là?

....

Actes de parole

4 QU'EST-CE QUE VOUS LEUR DITES ?

On vous offre une part de gâteau, vous ne mangez pas de gâteau. → Non, je te / vous remercie, je n'ai plus faim.

1. On vous invite au théâtre, mais vous êtes pris ce soir là.

....

2. Vous marchez sur les pieds d'une personne. Elle vous fait une remarque.

....

3. Votre ami(e) vous offre un cadeau, mais ce n'est pas votre anniversaire. Vous vous étonnez.

....

4. Le métro est en grève. Vous n'êtes pas content car vous allez être en retard à votre rendez-vous.

....

quelque chose / rien
quelqu'un / personne / tout le monde

5 RÉPONDEZ.

1. Tu as rencontré quelqu'un en venant? → – Non, ...

2. Tu as acheté un cadeau pour son anniversaire? → – Non, ...

3. Quelqu'un veut du café? → – Oui, ...

4. Tu as besoin de quelque chose? → – Non, ...

5. Qui t'a raccompagnée après la soirée? → – ....

6. Quelqu'un a téléphoné pendant mon absence? → – Non, ...

6 QU'EST-CE QUI LUI EST ARRIVÉ ?

A. Vous avez déjà téléphoné deux ou trois fois à un(e) ami(e). Vous donnez un dernier coup de téléphone. Votre ami(e) répond enfin. Vous lui demandez ce qu'il / elle a fait, où il / elle est allé(e), quand il / elle est parti(e), rentré(e)... Puis vous prenez rendez-vous. Vous fixez un lieu et une date et vous parlez de ce que vous allez faire.

B. Vous êtes parti(e) quelques jours chez des amis / en vacances / chez vos parents... Vous n'avez rien dit à vos amis. Vous rentrez chez vous. Un(e) ami(e) téléphone. Vous lui racontez votre voyage. Vous êtes revenu(e) en forme / fatigué(e). Vous prenez rendez-vous. Vous parlez de ce que vous allez faire...

Une vie exemplaire

1 ASSOCIEZ CES MOTS.

Expressions

1. un poste
2. l'exploration
3. un officier
4. une carrière
5. les profondeurs
6. le commandement
7. une série

a. des mers
b. de marine
c. d'aventures
d. du bateau
e. de marin
f. de télévision
g. sous-marines

→ Réemployez ces expressions dans une phrase.

2 TROUVEZ L'ADJECTIF CORRESPONDANT.

Formation des mots

1. la marine : ....
2. l'énergie : ....
3. le nombre : ....
4. la profondeur : ....
5. l'autonomie : ....
6. la jeunesse : ....
7. le silence : ....
8. l'exemple : ....

3 TROUVEZ LES EXPRESSIONS DE TEMPS DANS LE TEXTE, PAGE 133.

→ Employez-les dans des phrases.

1. *En 1957 : Mon père est né en 1957.*
2. ....
3. ....
4. ....
5. ....
6. ....
7. ....
8. ....

4 ÉCRIVEZ LA BIOGRAPHIE RÉSUMÉE D'UN PERSONNAGE CONNU en une cinquantaine de mots.

→ Aidez-vous des expressions de temps trouvées ci-dessus.

....

....

....

LAQUELLE PRÉFÉREZ-VOUS ?

Au Mondial de l'automobile.

1 EST-CE QUE VOUS LES AIMEZ AUSSI ?

moi aussi
pas moi
moi non plus
moi si

Adjectifs **devant** le nom

→ Exprimez votre accord ou votre désaccord.

1. J'aime les vieux monuments.

....

2. Ma femme n'aime pas les petites voitures.

....

3. Ils n'aiment pas les grands hôtels.

....

4. Il préfère les grosses motos.

....

5. Je n'aime pas visiter les musées.

....

6. Elles aiment rester chez elles le dimanche.

....

7. Je n'aime pas regarder la télévision.

....

8. Ils aiment aller au théâtre.

....

2 PLACEZ LES ADJECTIFS ET FAITES L'ACCORD.

beau → bel
devant une voyelle

Adjectifs **devant** le nom

Appartement beau / confortable → un bel appartement confortable.

1. robe / long / beau ....

2. jupe / droit / joli ....

3. femme / roux / grand ....

4. restaurant / pas cher / bon ....

5. maisons / pittoresque / vieux ....

6. voitures / confortable / gros ....

7. avion / supersonique / nouveau ....

Le comparatif

plus que...
moins que...
aussi que...

3 COMPAREZ-LES.

→ Consultez le tableau de la page 140 de votre manuel et comparez la Fiat Punto à ses concurrentes.

puissance → Elle est plus puissante que la Peugeot 306. / Elle est moins puissante que la Citroën ZX.

1. vitesse ....

....

2. longueur ....

....

3. consommation ....

....

4. prix ....

....

Le comparatif

4 DÉCRIVEZ-LES ET COMPAREZ-LES.

....

....

....

....

....

Les prépositions :

pour, de, par,
parmi, avec, sans, etc.

5 COMPLÉTEZ.

→ Complétez les phrases avec les prépositions suivantes :
par – sans – pour – avec – de – à

1. Cette voiture est spacieuse .... sa taille.

2. Je promène mon chien .... tous les temps.

3. .... toutes ces voitures, c'est la Clio que je préfère.

4. Elle me plaît beaucoup .... son tailleur Chanel.

5. Elle reste silencieuse .... grande vitesse.

6. Il boit son café .... sucre. Moi, je le prends .... du sucre.

6 LAQUELLE CHOISIS-TU ?

Pronoms interrogatifs :
lequel, laquelle, lesquels, lesquelles

Pronoms démonstratifs :
celui-ci / -là
celle-ci / -là
ceux-ci / -là
celles-ci / -là

→ Trouvez les questions et complétez les réponses. Utilisez les verbes suivants : préférer – acheter – mettre – aimer – choisir

Robe : Laquelle choisis-tu ? → – Celle-là, parce qu'elle est plus belle.

1. Appartement : ....

..................., parce qu'il est plus grand.

2. Chaussures : ....

..................., parce qu'elles sont moins chères.

3. Voiture : ....

..................., parce qu'elle est plus économique.

4. Meubles : ....

..................., parce qu'ils sont plus modernes.

5. Vêtements : ....

..................., parce qu'ils sont plus chauds.

7 PAR QUOI ALLEZ-VOUS COMPLÉTER ?

Pronoms interrogatifs :

qui, que, quoi, lequel et ses composés

→ Complétez les phrases avec des pronoms interrogatifs. (Il peut y avoir plusieurs possibilités.)

1. .... t'a donné rendez-vous ici ?

2. .... de vous deux veut bien m'accompagner ?

3. .... tu remplaces ?

4. Tu es toujours dans la lune. Je me demande à .... tu penses ?

5. .... feras-tu le jour où il sera parti ?

6. Moi, je préfère les pommes rouges. .... tu veux acheter ?

8 COMPAREZ LES HÔTELS SUIVANTS, DEUX À DEUX.

Le comparatif

Nom de l'hôtel	Nombre de chambres	Confort	Prix à la journée	Restaurant	Distance du centre
Touriste	50	+	300 F	+ +	500 m
des Voyageurs	32	+ +	400 F	+	1 km
Central	40	+ + +	500 F	+ + +	au centre

L'hôtel Touriste ....

....

....

L'hôtel des Voyageurs ....

....

....

L'hôtel Central ....

....

....

9 QUE PRÉFÉREZ-VOUS ?

→ Donnez chaque fois la raison de votre préférence.

chaussures → Je préfère les chaussures à talons hauts parce que c'est plus élégant.

hôtels : ....

....

Expression de la cause

restaurants : ....

....

moyens de transport : ....

....

vêtements : ....

....

pays, ville : ....

....

On y va ?

1 QUELS INDICES VOUS ONT PERMIS DE COMPRENDRE LES MOTS SUIVANTS ?

Indices pour l'inférence
1. Transparence
2. Dessin
3. Contexte
4. Situation
5. Formation du mot

construire : 3 indices utilisés : *contexte – situation – transparence (pour les hispanophones).*
Reportez-vous à la page 143.

1. bouger : ....

2. commencer : ....

3. inconvénients : ....

4. C'est l'angoisse ! ....

5. majeure : ....

6. chômage : ....

2 DONNEZ LE CONTRAIRE.

pas assez ≠ trop
pas beaucoup ≠ beaucoup

Comparaison de quantités
plus de + nom
moins de + nom
autant de + nom

Il y a trop d'infirmières. → Non, il n'y en a pas assez !
Il n'y a pas beaucoup d'avantages. → Si, il y en a beaucoup.

1. Il y a plus de quatre ans de travaux, pour faire ce bâtiment.

....

2. Il y a beaucoup d'ouvriers sur le chantier.

....

3. Il n'y a pas assez d'ingénieurs pour ce grand projet.

....

4. Il n'y a pas autant de problèmes sur un petit chantier.

....

5. Il y a moins de temps libre pour les ingénieurs que pour les ouvriers.

....

6. Il n'y a pas plus d'ouvriers que l'an dernier.

....

3 QUEL EST LE PLURIEL ?

Pluriels en **-x**

→ Vous avez déjà vu : *des rideaux, des bureaux* et maintenant *des hôpitaux, des journaux.*
Donnez le pluriel des mots suivants :

1. un bateau : .... **4.** une eau : ....

2. un local : .... **5.** un cheval : ....

3. un chapeau : .... **6.** un manteau : ....

4 QU'EST-CE QUI VIENT DE SE PASSER ?

Passé récent : **venir de** + infinitif

le directeur / signer un contrat → Le directeur vient de signer un contrat.

1. Émilie / trouver du travail

....

2. Nous / déménager

....

3. Les ouvriers / finir le chantier

....

4. Les vacances / se terminer

....

5. Vous / rentrer

....

6. Moi / faire l'exercice

....

5 QUELS SONT LES AVANTAGES ET LES INCONVÉNIENTS ?

1. De la vie à l'hôtel et de la vie en appartement.

....

....

....

....

2. Des vacances en été et des vacances en hiver.

....

....

....

....

3. Des voyages en avion et des voyages en bateau.

....

....

....

....

4. De la vie à la campagne et de la vie dans une grande ville.

....

....

....

....

6 QUE VA-T-IL FAIRE ?

→ A. Vous venez de recevoir la lettre suivante :

M. Raoul Crespin
15, rue des Boulangers
75011 Paris

Azur Matin
87, rue de France
06 000 Nice

Nice, le 15 janvier 1995

Monsieur,

À la suite de notre récente entrevue, nous avons le plaisir de vous proposer un poste de journaliste à la rédaction d'*Azur Matin* à partir du 1er avril, pour diriger la rubrique économie.

Vous devrez faire des reportages sur la vie sociale et culturelle de Nice. Le salaire de début est de 10 500 F par mois et vos frais professionnels sont à la charge du journal.

Les possibilités de promotion sont réelles et peuvent être rapides.

De plus, Nice est une ville agréable.

J'espère que notre proposition peut vous intéresser et je compte sur une réponse rapide de votre part.

Veuillez agréer, Monsieur, l'expression de mes sentiments les meilleurs.

P. Vigouroux
Directeur du personnel

→ Vous n'en avez encore parlé à personne. Votre amie vous téléphone...

B. Vous savez que votre ami cherche un poste de journaliste dans un journal important. Vous lui téléphonez. Il vient de recevoir une réponse. Vous lui posez des questions (quoi, où, quand, pour combien de temps, avantages...). Sa décision peut avoir des conséquences importantes pour vous.

Séjour en Martinique.

1 ÉCRIVEZ CES MOTS PRÉCÉDÉS D'UN ARTICLE.

Terminaison des mots :
- féminins : consonne + **e**, **-ie**, **-ion**, **-té**
- masculins : **son de voyelle**, **-c, -f, -l, -r**

1. .... catégorie
2. .... jardin
3. .... prix
4. .... plage
5. .... casino
6. .... bain
7. .... matelas
8. .... court de tennis
9. .... départ
10. .... réservation
11. .... proximité
12. .... panorama

Attention ! le sable – la mer – la radio – la plongée

2 VOUS ÊTES À L'HÔTEL CARAÏBE.

Votre chambre donne sur la piscine, le restaurant, le parc et la mer.
→ Décrivez ce que vous voyez de la fenêtre.

....

....

....

....

....

....

....

....

....

....

....

DOSSIER 11

IL FAUT QUE ÇA CHANGE !

Quels sont vos vœux pour le XXIe siècle ?

1 DONNEZ LA 1re PERSONNE DU SINGULIER ET DU PLURIEL AU SUBJONCTIF PRÉSENT DES VERBES SUIVANTS.

Subjonctif :
1 ou 2 radicaux

- singulier :
1re/3e pers. : **-e**
2e pers. : **-es**

- pluriel :
1re pers. : **-ions**
2e pers. : **-iez**
3e pers. : **-ent**

Comprendre : que je comprenne, que nous comprenions.

1. mettre : ....

2. boire : ....

3. partir : ....

4. finir : ....

5. aller : ....

6. être : ....

2 QUE SOUHAITEZ-VOUS À VOS AMIS ?

souhaiter + que + subj.

Attention aux **formes irrégulières :**
sois, aie, puisse, aille...

1. être heureux (ils) ....

2. avoir de l'argent (tu) ....

3. vivre longtemps (vous) ....

4. pouvoir voyager (elle) ....

5. faire un travail intéressant (vous) ....

6. ne pas être malade (tu) ....

7. bien s'entendre avec les autres (il) ....

8. aller en vacances (ils) ....

3 EXPRIMEZ VOTRE DOUTE.

croire que
+ indicatif

ne pas croire que
+ subjonctif

Je crois qu'on peut apprendre une langue en six mois.
→ – Moi, je ne crois pas qu'on puisse apprendre une langue en six mois.

1. Je crois que les hommes sont meilleurs qu'avant.

....

2. Je pense qu'il y a du travail pour tout le monde.

....

3. Je trouve que les gens sont plus tolérants en Italie qu'en Angleterre.

....

4. Je pense que le monde fait beaucoup de progrès en médecine.

....

5. Je crois que tous les peuples peuvent s'entendre.

....

6. Je trouve que les gens gagnent bien leur vie.

....

4 QU'EST-CE QU'ILS VEULENT ?

2 sujets :
vouloir que + subjonctif
1 seul sujet :
vouloir + infinitif

Je veux que tu ailles en ville. → – Mais, moi, je ne veux pas y aller !

1. Elle veut qu'il parle.
   Mais lui, il ....
2. Nous voulons que tu acceptes la proposition.
   ....
3. Vous voulez que je fasse tout !
   ....
4. Ils veulent que je travaille.
   ....
5. Vous voulez qu'on sorte.
   ....

5 QUE FAUT-IL QUE VOUS FASSIEZ POUR ÊTRE (PRESQUE) PARFAIT ?

suivi du subjonctif :
Il faut que...
Il est nécessaire que...
Il est important que...

→ Utilisez : il faut – il est nécessaire – il est important que...
Regardez les dessins pour vous inspirer et trouvez d'autres idées.

COURS DE LANGUE

....
....
....
....

6 J'EN DOUTE !

→ Vous parlez à un(e) de vos ami(e)s. Vous doutez qu'il / elle puisse faire tout ce qu'il / elle dit.

Suivi du subjonctif :
douter que...
ne pas penser que...
ne pas être sûr que...
ne pas croire que...

Je vais faire cent kilomètres à vélo en une seule journée.
→ –Je doute que tu fasses cent kilomètres à vélo en une journée.

1. Je vais faire le tour du monde.

....

2. Je vais apprendre le japonais en six mois.

....

3. Nous allons faire le tour d'Europe à pied.

....

4. Nous allons gagner beaucoup d'argent.

....

7 DANS QUEL BUT ?

But :
pour que + subjonctif

1. Il faut créer de meilleures conditions de vie pour que (plus heureux)

....

2. Il est important que les gens se connaissent mieux pour que (plus grande tolérance)

....

3. Il est nécessaire de contrôler la pollution pour que (destruction des forêts)

....

4. Il faut que les peuples s'entendent pour que (fin des guerres)

....

5. Il faut que les gens apprennent des langues étrangères pour que (meilleure compréhension mutuelle)

....

6. Il est important de protéger les animaux pour que (disparition des espèces)

....

8 QU'EST-CE QUE VOUS SOUHAITEZ ?

Souhaiter que + subjonctif

→ Formulez des souhaits à propos de :

1. la paix dans le monde

....

2. l'amélioration des conditions de vie

....

3. les progrès de la médecine

....

4. l'égalité entre les hommes

....

5. le monde futur

....

Il faut que tu réfléchisses !

Actes de parole

1 QU'EXPRIME LA PERSONNE QUI RÉPOND ?

→ Vous pouvez choisir plus d'une solution.

– Qu'est-ce qu'on fait, on sort ou on reste ici?
– Ça m'est égal!

❑ indifférence ❑ satisfaction ❑ irritation

– J'ai envie de prendre un thé avec des gâteaux. Et toi, qu'est-ce que tu prends?
– Moi, je ne veux rien!

❑ excuse ❑ justification ❑ refus

– Tes parents ne veulent pas que tu sortes le soir. Essaye de les écouter.
– Et pourquoi? Je suis majeure, non?

❑ demande d'information ❑ irritation ❑ justification

– Tu ne veux pas qu'on parte en vacances ensemble, c'est ça?
– Ne dis pas de bêtises.

❑ ordre ❑ modération ❑ excuse

Formation des mots

2 TROUVEZ LES VERBES CORRESPONDANT À CES NOMS.

→ Mettez un article devant le nom et trouvez le verbe.

l'entente: s'entendre

1. ..... complication: ....
2. ..... excuse: ....
3. ..... compréhension: ....
4. ..... achat: ....
5. ..... apprentissage: ....
6. ..... réflexion: ....
7. ..... changement: ....
8. ..... départ: ....

Le subjonctif

3 TROUVEZ DES JUSTIFICATIONS.

Mes parents veulent que je parte avec eux. Moi, je veux rester ici !
→ Ils ont peur que tu te sentes seule.

1. Ils veulent que j'aille à l'université. Moi, je veux travailler !

....

2. Ils veulent que je reste chez eux. Moi, je veux me marier.

....

3. Ils ont peur que je sois au chômage. Moi, je sais que je trouverai du travail.

....

4. Ils veulent que je parte en vacances avec eux. Moi, je veux partir avec des copains.

....

4 OBSERVEZ LES DESSINS : DITES CE QUE LES PARENTS VEULENT QUE LEUR FILS FASSE ET DITES CE QUE LUI VEUT FAIRE.

• 2 sujets : subordonnée au subj.

• 1 seul sujet : 2e proposition verbe à l'infinitif

....

....

....

5 ÉCRIVEZ TROIS CHOSES QUE VOUS VOULEZ OU AVEZ ENVIE DE FAIRE.

....

....

....

6 ÉCRIVEZ TROIS CHOSES QUE VOUS VOULEZ OU AVEZ ENVIE QU'UN AUTRE FASSE.

....

....

....

7 TROUVEZ DES EXCUSES.

ustifier un refus.

On va au cinéma ? → – Pas aujourd'hui. Il faut que je sois chez moi dans une heure.

1. Tu viens me voir?

....

2. On se retrouve à 5 heures?

....

3. On va au théâtre ce soir?

....

4. On part à la campagne?

....

5. On prend quelques jours de vacances?

....

8 TROUVEZ DES RAISONS POUR PROPOSER UNE SORTIE.

ustifier une proposition.

J'ai envie de me changer les idées. On va au cinéma ?

1. ....

2. ....

3. ....

9 DE QUOI AVEZ-VOUS PEUR ?

voir peur que + subjonctif
voir peur de + infinitif

raindre que + subjonctif
raindre de + infinitif

→ De la guerre? De la pollution? De la vieillesse? De la maladie? De la solitude?
J'ai peur que le chômage augmente. J'ai peur de ne pas trouver de travail.

J'ai peur que ....

....

J'ai peur de ....

....

Pour que la Terre ne meure pas !

1 QUE VEULENT FAIRE LES AUTEURS DU MANIFESTE ?

Actes de parole dans un texte écrit

→ Choisissez les bonnes réponses.
Ils veulent :

amuser – attirer l'attention – accepter – informer – protester – donner des raisons – illustrer – justifier – refuser

2 QUELS MOTS EXPRIMENT LES LIENS LOGIQUES ?

Relation cause-effet

→ Trouvez dans le texte ce qui introduit :

1. le but : ....

....

....

2. la conséquence : ....

....

....

3 COMPLÉTEZ LA GRILLE. AIDEZ-VOUS DE LA PAGE 161.

1. Enveloppe gazeuse qui entoure la Terre.
2. Sa couche protège la Terre.
3. La Terre, Mars et Jupiter sont des...
4. La pollution peut-être un danger...
5. On aime en boire quand on a soif.
6. Elle est ronde et on y vit.
7. Il est plus pur en montagne que dans les villes.
8. Endroit où il y a beaucoup d'arbres.
9. Il est nécessaire d'en prendre conscience.

1						P						
					2	O						
				3		L						
4						L						
			5			U						
					6	T						
				7		I						
				8		O						
			9			N						

4 INVENTEZ LA CONSÉQUENCE.

Conséquence :

c'est pourquoi, donc

Je ne peux plus vivre au rythme de la grande ville. C'est pourquoi j'ai décidé de vivre à la campagne et de ne travailler que trois jours par semaine.

1. Les routes sont devenues trop dangereuses.

....

....

2. Tout le monde part en vacances en juillet et en août.

....

....

3. Il y a de plus en plus d'accidents d'avion.

....

....

4. Il faut maintenant parler plusieurs langues étrangères.

....

....

5 ÉCRIVEZ UN MANIFESTE SUR LE THÈME : « POUR QUE LA ROUTE NE TUE PAS ! »

Stratégie de persuasion

Première partie : **La route tue.**

– Statistiques d'accidents

– Nombre de morts en augmentation

– Risques graves pour les accidentés

– Dépenses de santé très lourdes pour tous

....

....

....

....

....

....

Deuxième partie : **Pour que les routes soient moins dangereuses.**

Vos suggestions : ....

....

....

....

....

Troisième partie : **Il est urgent d'agir !**

Vos moyens d'agir : ....

....

....

....

....

ÇA SE PASSAIT QUAND ?

C'était le printemps !

1 COMPLÉTEZ LES PHRASES AVEC CES MOTS DU TEXTE :

issue – se dépêcher – pavé – le souffle coupé – empêcher – barricades – crier

1. Il est déjà six heures. Nous sommes en retard. .... -toi !
2. Son ami était déjà loin. Il lui a .... au revoir.
3. La surprise était grande. Elle en a eu ....
4. Toutes les portes étaient bloquées. Il n'y avait pas d' ....
5. La nuit nous .... de voir ce qui se passait.
6. Après 68, on a recouvert les .... des rues du Quartier latin pour qu'on ne puisse plus les arracher.
7. En mai 68, les étudiants ont construit de nombreuses .... pour empêcher les CRS de passer.

2 METTEZ ENSEMBLE LES DEUX PARTIES DE L'EXPRESSION.

1. de violentes	a. d'espoir
2. faire	b. une issue
3. laisser	c. peur
4. plein	d. demi-tour
5. prendre	e. bagarres

3 TROUVEZ LES MOTS DU TEXTE CORRESPONDANT À CES DÉFINITIONS.

1. grand nombre de gens réunis : ....
2. directives, ordres : ....
3. enlever, extraire avec effort : ....
4. bataille, lutte, échange de coups : ....
5. partir pour échapper à un danger : ....
6. protester de façon visible en participant à une réunion dans la rue : ....

4 TROUVEZ L'INFINITIF DE CES VERBES, PUIS LA PREMIÈRE PERSONNE DU PLURIEL AU PRÉSENT.

adical de l'imparfait

ormation sur la première ersonne du pluriel u présent

xception : **être → ét-**

1. Vous étiez : ....
2. Il faisait : ....
3. Ils nous empêchaient : ....
4. Nous sentions : ....
5. Il s'arrêtait : ....
6. J'avais : ....
7. Nous voulions : ....
8. Je manifestais : ....

5 TROUVEZ LA 1re PERSONNE DE L'IMPARFAIT DE CES VERBES.

1. finir : ....
2. ouvrir : ....
3. comprendre : ....
4. voir : ....
5. dire : ....
6. pouvoir : ....
7. aller : ....
8. devoir : ....
9. construire : ....
10. changer : ....

6 TROUVEZ AU MOINS 6 EXPRESSIONS DE TEMPS DANS LE RÉCIT *C'ÉTAIT LE PRINTEMPS.*

....

....

....

7 QUEL MOT VOUS VIENT À L'ESPRIT ?

→ Complétez les phrases suivantes.

Nous avions l'impression d'être des .... → héros.

1. Il faisait un temps ....
2. Ils sont restés une heure à ....
3. Ils étaient pleins d' ....
4. Elle s'est prise pour ....
5. On les empêchait de ....
6. Ils ont construit ....
7. Elle ne voulait pas se retrouver ....

Circonstances : **imparfait**
Événements : **passé composé**

8 DONNEZ LA CIRCONSTANCE ET L'ÉVÉNEMENT.

6 heures / arrivée de Loïc → Il était 6 heures (circonstances) quand Loïc est arrivé (événement).

1. être à la Porte d'Orléans / commencement des événements

....

2. faire beau / départ du cortège

....

3. présence de CRS / arrivée du cortège

....

4. bien se passer / se diriger vers le boulevard Saint-Michel

....

5. issues bloquées / arrivée rue Soufflot

....

6. construction de la barricade / fuite de Caroline

....

9 VOUS RACONTEZ.

→ Décrivez les circonstances et le décor avant de présenter un événement inattendu

Et, soudain, un coup de feu ....

....

....

Et, tout à coup, un requin ....

....

....

La roue a tourné.

nparfait ≠ passé composé

1 C'EST TOUTE UNE HISTOIRE !

→ Mettez les verbes entre parenthèses à la forme convenable.

Quand Thierry (arriver) .... à Paris, il ne (connaître) .... personne. Très vite il (rencontrer) .... les Delcour. Il (vivre) .... à l'hôtel et il (ne pas avoir) .... d'appartement. Heureusement, il en (trouver) .... un rapidement.

Le samedi soir, il (sortir) .... avec Émilie et des copains. Les Delcour et lui (faire) .... du vélo le samedi après-midi et tous les dimanches matins. Au printemps, ils (partir) .... en randonnée avec le Bicyclub. C'est là que Thierry (rencontrer) .... Charlotte. Les randonneurs (manger) .... et (dormir) .... chez des fermiers ; à midi, ils (pique-niquer) ....

Quelque temps après, les Delcour (décider) .... de partir à Albertville. Émilie (ne pas vouloir) .... partir avec ses parents. Mais Thierry lui (conseiller) .... de le faire. C'est normal, il (être) .... amoureux de Charlotte ! Il (ne pas vouloir) .... qu'Émilie (avoir) ....de la peine.

2 COMPLÉTEZ.

'erbes pronominaux
u passé composé :

accord sujet-participe
pronom COD

pas d'accord
pronom COI

Émilie et Thierry se sont vus. (voir quelqu'un : COD)
mais Émilie et Thierry se sont téléphoné. (téléphoner à quelqu'un : COI)

1. Elles se sont (s'habiller).

....

2. Ils se sont (se consoler).

....

3. Ils se sont (se donner rendez-vous).

....

4. Elles se sont (se maquiller).

....

5. Elle s'est (se coucher) tard.

....

6. Ils se sont (se réveiller) à 9 heures.

....

3 COMMENT ÉTAIENT-ILS ? QUE VOULAIENT-ILS ?

Imparfait :
circonstances, état d'esprit

→ Complétez.

1. Thierry .... étonné.
2. Il .... qu'Émilie le retrouve à la Coupole.
3. Elle .... envie de le voir.
4. Elle .... triste.
5. La mère d'Émilie .... peur qu'elle soit triste.
6. Pour lui, Émilie n' .... qu'une bonne copine.

4 COMMENT MARYSE ET CHARLOTTE ENCOURAGENT-ELLES ÉMILIE ET THIERRY À CONTINUER LEUR RÉCIT ?

Stratégies de conversation :
relances

→ Donnez un exemple de chaque type de relance.

1. Question directe pour demander un complément d'information.

   ....

2. Marque de doute ou d'étonnement.

   ....

3. Objection.

   ....

4. Reproche.

   ....

5 COMMENT ÇA S'EST PASSÉ ?

→ Deux de vos amis se sont séparés. Dans une lettre à un(e) ami(e) commun(e), vous donnez les raisons (au passé) de leur séparation.

....

....

....

....

6 IMAGINEZ UNE SUITE À L'HISTOIRE D'ÉMILIE ET DE THIERRY.

7 RACONTEZ !

A. Vous aviez un(e) ami(e) depuis…
Vous vous entendiez bien. Vous aviez beaucoup de points communs…
Puis vous avez rencontré quelqu'un…
Vous avez quitté votre ami(e)…

Une camarade vous téléphone et vous demande comment va votre ami(e). Vous ne voulez pas vraiment raconter l'histoire mais votre correspondant vous pose des questions, montre son intérêt, veut tout savoir…

B. Vous connaissez bien A et son ami(e). Vous pensez que tout ne va pas bien entre eux. Vous trouvez un prétexte pour téléphoner à A. Vous lui demandez des nouvelles de son ami(e). Vous lui posez des questions, vous lui montrez votre intérêt pour son histoire… pour qu'il / elle vous raconte ce qui s'est passé.

La construction de l'Europe.

1 CLASSEZ LES EXPRESSIONS DE TEMPS DU TEXTE EN EXPRESSIONS INDIQUANT :

1. un moment précis du passé :

2. une durée :

2 TROUVEZ LE NOM OU LE VERBE CORRESPONDANT.

Formation des mots

→ Mettez un article devant les noms.

1. situer: ....
2. .... : .... reconstruction
3. .... : .... union
4. influencer: ....
5. .... : .... signature
6. coopérer: ....
7. .... : .... lien
8. élire: ....

3 QUELLES SONT LES CAUSES...

Relation cause-effet

de la situation de l'Europe en 1945? → – L'Europe venait juste de sortir d'une guerre de six ans

1. de la création de l'OCDE?

....

2. de la création de la CECA?

....

3. de l'institution de la CEE?

....

4. du veto de la France à l'entrée de la Grande-Bretagne dans le Marché commun en 1963?

....

5. de l'entrée de l'Espagne et du Portugal dans le Marché commun en 1986?

....

Imprimé en Italie par G. Canale & C. S.p.A. - Borgaro T.se - Turin
Dépôt légal : 0397-09-1995 - Collection n° 26 - Edition n° 02

15/5015/1